Mil a Mwy o Berlau

Trysorfa o ddyfyniadau cyfoethog

Casglwyd gan
Olaf Davies

CYHOEDDIADAU'R
GAIR

Er cof am fy ŵyr

Celt Iolen Rhys

"Er i'n hing droi yn angof
Ni wna Celt fyth fynd o'n cof"
John Gwilym Jones

℗ Cyhoeddiadau'r Gair 2013

Casglwyd gan: Olaf Davies
Golygydd Testun: John Pritchard
Golygydd Cyffredinol: Aled Davies

ISBN 978 1 85994 673 2
Argraffwyd yng Nghymru.

Mae'r cyhoeddwyr yn dymuno cydnabod yn ddiolchgar gymorth
Adrannau Golygyddol ac Ariannol Cyngor Llyfrau Cymru
Argraffwyd a Rhwymwyd yn y Deyrnas Gyfunol.

**Cyhoeddwyd gan
Cyhoeddiadau'r Gair, Cyngor Ysgolion Sul Cymru,
Ael y Bryn, Chwilog, Pwllheli, Gwynedd LL53 6SH.
www.ysgolsul.com**

CYNNWYS

Gair gan y Golygydd

Nid ffrwyth ymchwil academaidd mo'r gyfrol hon, yn wir ni ddaeth y ddawn honno erioed i ran y croniclwr hwn. Ymgais ydyw ar gais y Cyhoeddwr i gywain mil a mwy o berlau a ddaeth o enau, neu o law, rhai unigolion enwog ac eraill llawer llai adnabyddus dros y canrifoedd. Y mae yma hefyd, fel y gwelir, ddyfyniadau Beiblaidd ar themâu penodol. Ar wahân i'r dyfyniadau o'r Beibl nid yw'r dyfyniadau i'w cymryd fel y gair terfynol ar unrhyw bwnc ond yn hytrach mynegiannau o'r gwirionedd ydynt. Hyd y gwelaf i os oes unrhyw werth parhaol i ddeillio ohonynt rhaid i'r darllenydd fynd gam ymhellach ac ystyried y gwirionedd a fynegir ynddynt yng nghyd-destun ehangach ein ffydd a'n gwybodaeth o Dduw a'n profiad o'r byd. Y mae llawer o'r dyfyniadau yn eu "dweud hi fel y mae" fel petai ac eraill yn galw ar i ni fyfyrio'n ddwys drostynt.

Hyderaf y bydd yn ffynhonnell barod o ddyfyniadau ar gyfer pregethwyr, athrawon a chyfathrebwyr Cristnogol eraill. Os llwydda'r hyn a gofnodir yma i fod yn gyfrwng ysbrydoliaeth ac anogaeth i'm cyd-Gristnogion i ddyfalbarhau mewn dyddiau ansicr yna bu'n werth yr ymdrech.

Dangosodd llawer o bobl lawer o amynedd tuag ataf dros gyfnod y paratoi. Eu dycnwch hwy yn bennaf a barodd fod y casgliad hwn yn dod i olau dydd. Gobeithio y cewch chithau'r darllenydd fudd a bendith wrth ymlwybro rhwng y cloriau.

Olaf Davies

Na foed i chwi gael eich dylanwadu
gan bwysigrwydd yr awdur,
na safon ei ddysg,
ond boed i'ch cariad at y gwirionedd pur
eich denu i ddarllen.

Peidiwch â holi,
Pwy ddywedodd hyn?

Ond canolbwyntiwch yn hytrach
ar yr hyn a ddywedir.

Thomas à Kempis

Addoli

1. Diolch i'r Arglwydd
Diolchaf i'r Arglwydd am ei gyfiawnder, a chanaf fawl i enw'r Arglwydd Goruchaf.

Salm 7:17

2. Mawrygu yr Arglwydd
Mawrygwch yr Arglwydd gyda mi, a dyrchafwn ei enw gyda'n gilydd.

Salm 34:3

3. Anrhydeddu ei enw
Bydd yr holl genhedloedd a wnaethost yn dod ac yn ymgrymu o'th flaen, O Arglwydd, ac yn anrhydeddu dy enw.

Salm 86:9

4. Addolwn ac Ymgrymwn
Dewch, addolwn ac ymgrymwn, plygwn ein gliniau gerbron yr Arglwydd a'n gwnaeth. Oherwydd ef yw ein Duw, a ninnau'n bobl iddo a defaid ei borfa; heddiw cewch wybod ei rym, os gwrandewch ar ei lais.

Salm 95:6–7

5. Ymgrymu i'r Arglwydd
Ymgrymwch i'r Arglwydd yn ysblander ei sancteiddrwydd; crynwch o'i flaen, yr holl ddaear.

Salm 96:9

6. Dyrchafu'r Arglwydd
Dyrchafwch yr Arglwydd ein Duw, ymgrymwch yn ei fynydd sanctaidd — sanctaidd yw'r Arglwydd ein Duw.

Salm 99:9

7. Rhoi'r gogoniant i Dduw

Yna gwelais angel arall yn hedfan yng nghanol y nef, a chanddo efengyl dragwyddol i'w chyhoeddi i breswylwyr y ddaear ac i bob cenedl a llwyth ac iaith a phobl. Dywedodd â llais uchel, "Ofnwch Dduw, a rhowch iddo ogoniant, oherwydd daeth yr awr iddo farnu. Addolwch yr hwn a wnaeth nef a daear, y môr a ffynhonnau'r dyfroedd."

Datguddiad 14:6–7

8. Yr Un Sanctaidd

Pwy nid ofna, Arglwydd, a gogoneddu dy enw? Oherwydd tydi yn unig sydd sanctaidd. Daw'r holl genhedloedd ac addoli ger dy fron, oherwydd y mae dy farnedigaethau cyfiawn wedi eu hamlygu.

Datguddiad 15:4

9. Teilwng yw'r Arglwydd

Bydd y pedwar henuriad ar hugain yn syrthio o flaen yr hwn sy'n eistedd ar yr orsedd, gan addoli'r hwn sy'n byw byth bythoedd, a bwrw eu coronau gerbron yr orsedd a dweud: "Teilwng wyt ti, ein Harglwydd a'n Duw, i dderbyn y gogoniant a'r anrhydedd a'r gallu, oherwydd tydi a greodd bob peth, a thrwy dy ewyllys y daethant i fod ac y crëwyd hwy."

Datguddiad 4:10–11

10. Diolch i Dduw Hollalluog

Seiniodd y seithfed angel ei utgorn. Yna bu lleisiau uchel yn y nef yn dweud: "Aeth brenhiniaeth y byd yn eiddo ein Harglwydd ni a'i Grist ef, a bydd yn teyrnasu byth bythoedd." A dyma'r pedwar henuriad ar hugain, sy'n eistedd ar eu gorseddau gerbron Duw, yn syrthio ar eu hwynebau ac yn addoli Duw gan ddweud: "Yr ydym yn diolch i ti, O Arglwydd Dduw hollalluog, yr hwn sydd a'r hwn oedd, am iti feddiannu dy allu mawr a dechrau teyrnasu."

Datguddiad 11:15–17

11. Yn wylaidd plygu wnawn

Yn wylaidd plygu wnawn
I Frenin yr holl fyd,
Cans ti, ein Tad, sydd inni'n borth
A'n cymorth cry' o hyd.

Daethom o sŵn y byd
I'th demel dawel di
I brofi yno ryfedd rin
Y gwin a'n cynnal ni.

Cawn rhwng y muriau hyn
Fyfyrio'n hir a dwys
Am dy drugaredd di a'th ras,
A'r deyrnas fawr ei phwys.

O fewn dy dŷ, ein Duw,
Y mae tangnefedd drud
A'n nertha ni i droi yn ôl
I'r llym, herfeiddiol fyd.

Yng nghwmni teulu'r ffydd
Ymbiliwn yn gytûn
Am inni gael yr uchel fraint—
Dy gwmni di dy hun.

Gwilym R. Jones

Ymddistewi

12. Sŵn y Gair Tragwyddol

Wele dy waith cyntaf di yw distewi, a rhoi taw hollol ar bob sŵn arall sydd yn dy galon, a throi allan bob llais meddwl ynot ond meddwl Duw ynot, a bod heb feddwl am ddim ond am Dduw, yr hwn nid yw ddim a weli ... Ond, meddi di, 'A ydyw yn bosibl hynny yn y byd yma?' Dos ymlaen, gwna dy orau yn nerth Duw, a'r Arglwydd a'th gyferfydd yn barod iawn i roi i ti fwy o nerth. Ond os edrychi di yn gyntaf i mewn, ac ymwrando â'r lleisiau yn dy galon – mae yno sŵn gofalon dreiniog bydol, a sŵn chwantau melysion cnawdol, a sŵn hen lwgr gydwybod euog, a sŵn meddyliau caledion am Dduw a dynion, a sŵn gobaith am rywbeth o'r byd yma, a sŵn rhyw weithredoedd da a wnaethost, neu ryw ddoniau neu ras a dderbyniaist, neu sŵn newyddion teyrnasoedd, neu sŵn dy orchwyl di oddi allan. Ond tra fo sŵn un, ie un, o'r rhain yn dy feddwl, ni elli di glywed sŵn y Gair tragwyddol. Am hynny, cais gan Dduw (nes cael) galon ddistaw oddi mewn, meddwl dibris am bob peth ond am Dduw, allan o gof y creadur, dirgel gyda'r Tad, yn heddwch Duw, yr hwn sydd uwchlaw pob deall, (yr heddwch hwnnw oedd cyn bod creadur na meddyliau), ac wrth suddo i mewn i ti dy hunan, ac yno allan o'r hunan i Dduw dy wreiddyn, trwy osod yr ewyllys ar Dduw'n unig, di gei adnabod y Gair tragwyddol mewn amser, yr hwn a'th adwaenai di a minnau cyn bod amser.

Morgan Llwyd

13. Addoli ac ufuddhau

Y mae'r Eglwys yn bod er mwyn addoli ac er mwyn dysgu addoli. Ei swydd gyntaf yw tystiolaethu wrth ddynion mai Duw yw diben eu bodolaeth, nid hwy eu hunain na'u pethau. Drwy addoli y mae yn ail greu ewyllys dyn, yn ei droi oddi wrtho'i hunan at Dduw. Y weddi, felly, yw canolfan bywyd yr eglwys a chanolfan bywyd y byd; y gymdeithas agos â Duw sydd yn y gwasanaeth Cymun, ac yn yr awr weddi gyffredin: lle mae Crist yn bresennol a'r addolwyr yn ymwybodol o hynny.

Y mae'r Eglwys hefyd mewn bod er mwyn ufuddhau a dysgu ffordd yr ufudd-dod. Ond y mae'n werth inni gofio y dylai ein gweddi a'n gwasanaeth fod yn un. Os yw ein haddoliad yn gywir, yn ein dwyn i gyffyrddiad â bywyd Duw, bydd y bywyd hwnnw o angenrheidrwydd yn taro ar ein bywyd beunyddiol ac yn newid ei ysgogiadau. Bydd Duw, megis yn ymwthio, drwy ein cydsyniad ni, i'r siop a'r gegin, i'r Cyngor Sir, a'r swyddfa newyddiadur. Dyna un agwedd. Ac yna, fel y digwydd hyn, bydd ein bywyd beunyddiol yn ein dysgu sut i weddïo. Deallwn yn well pa gymorth sydd arnom ei eisiau, pa ystafell yn yr enaid sydd ar osod, pa frwydr sydd i'w hymladd. Ac yn wir, yn ôl tystiolaeth yr holl saint, fel y deuwn i ymgydnabod â Duw deuwn hefyd i ddeall ein pechod a'n hanallu ein hunain a'i fawr drugaredd Ef. Fel gwennol y gwehydd y mae'r addoliad a'r ufudd-dod, yn gweithio'r patrwm, ystof ac anwe drwy ei gilydd.

Gwenan Jones

14. Hanfod addoli

Nid yw Duw yn dlawd na thrachwantus, fel pe byddai'n mynnu ein haddoliad er ei fwyn ei hunan yn unig, ond yn ein gwasanaeth i eraill y caiff ef ei hyfrydwch pennaf. Dywedir am y brenin Cyrus, mai un o'i rinweddau amlycaf oedd ei fod yn gyfaill nodedig o ffyddlon; a'r prawf a roddir o hynny oedd ei fod yn mynnu rhannu ag eraill unrhyw anrheg o barch a dderbyniai. Ond Duw yw'r cyfaill gorau oll, ac ni fyn yntau anrhydedd gan neb na thry hi'n fendith i'w bobl. "Os dywed neb, 'Yr wyf yn caru Duw', ac efe yn casáu ei frawd, celwyddog yw: canys yr hwn nid yw yn caru ei frawd yr hwn a welodd, pa fodd y gall efe garu Duw yr hwn nis gwelodd?" (1 Ioan 4:20). "Os carwn ni ein gilydd, y mae Duw yn trigo ynom, ac y mae ei gariad ef yn berffaith ynom" (1 Ioan 4:12). Ym mhob perthynas iawn â Duw, ym mhob addoliad teilwng iddo, y mae tri pharti yn gytûn – Duw, yr addolwr, a'r frawdoliaeth y perthyn iddi. Yn ei bobl y derbyn Duw oddi wrthym y wrogaeth sydd deilwng iddo. Y mae dau fath o *landlord* ym mhob man: un yn cymryd hynny a all o'i ystad i'w wario yn Llundain, a'i unig ofal yw casglu'r rhent; a'r llall yn fwy awyddus fod yr ystad yn cael ei gwrteithio a'i chadw'n dda nag am gymryd ei chynnyrch allan ohoni. Tebyg i'r olaf yw Duw. Ei etifeddiaeth ef yw ei bobl; ac yn eu lles a'u daioni hwy y derbyn yntau'r diolch a'r mawl a'r addoliad sy'n eiddo iddo. Y mae addoli Duw a gwasanaethu dyn i'w priodi'n anwahanadwy â'i gilydd, oblegid tlawd ac aneffeithiol yw'r naill heb y llall, a'r addoliad cyhoeddus yw aelwyd y briodas hon.

Thomas Rees

15. Y Stafell Ddirgel

Eryr: Di soniaist am glust i wrando unwaith o'r blaen. Onid oes gan bawb glust i wrando?

Colomen: Mae llawer o leisiau yng nghalon dyn; mae sŵn y byd, a'i newyddion, a'i bleserau, a'i ddychryniadau. Mae hefyd o'r tu mewn i stafell y galon sŵn meddyliau ac annhymerau, a llanw a thrai cnawd a gwaed. Ac fel hyn y mae'r enaid truan (fel llety'r meddwon) yn llawn dwndwr oddi mewn; y naill chwant yn ymgoethi â'r llall; neu fel ffair neu farchnad fawr, lle mae trwst a siarad a gloddest yn llenwi heolydd y dref oddi mewn. Dyma'r achos na ŵyr dyn hanner ei feddyliau ei hun, ac nad yw'n clywed yn iawn beth y mae ei galon ef ei hun yn ei ddywedyd.

Eryr: Ond pa fodd y mae i enaid dyn gael llonydd?

Colomen: Wrth fynd i mewn i'r stafell ddirgel, a'r stafell honno yw Duw ei hunan o'r tu mewn. Ond tra byddi di'n gadael i'r meddwl redeg allan drwy'r llygaid a'r synhwyrau, neu yn edrych oddi mewn ar luniau a delwau'r peth a welaist neu a gofiaist, mae'r meddwl fel Lot yn gadael ei dŷ i ymresymu â'r Sodomiaid, nes i Ysbryd Duw dy gipio di i mewn i ymddiddan â Duw yn stafell dy galon. A thra fo'r meddwl fel hyn o'r tu allan, mae diafol o'r tu mewn yn rhwystro'r meddyliau i ddychwelyd i mewn at Dduw; ac felly mae'r enaid truan yn rhodio oddi cartref, yn gweled ac yn chwennych y naill beth a'r llall oddi allan, heb weled pa fath Dduw sydd oddi mewn.

Morgan Llwyd

Myfyrio

16. Myfyrio yn ei gyfraith

Gair mynych a phwysig yn y Salmau yw'r gair 'myfyrio': "Myfyrio yn ei gyfraith ef ddydd a nos" (Salm 1:2) ... Gofyn myfyrdod o'r Gair hamdden a thawelwch meddwl. Yn wir, y mae myfyrdod – rhoi ein meddwl ar waith i dderbyn argraffiadau'r 'impiedig air' – yn elfen bwysig mewn addoli yn hanes pawb, cyn bwysiced â phregethu a chanu mawl i Dduw. A myfyrdodau dwys, profiadau hiraethus plant y gofid a'r ddrycin ar gân, yw'r Salmau. Myfyrdodau ar dynged dyn a'i gyfrifoldeb, myfyrdodau ar Dduw, ar Ei waith mewn Natur a Hanes, hiraeth am gymundeb parhaus ag Ef, ymwybod â'i bresenoldeb ym mhob hap a damwain, ac yn holl droeon gyrfa bywyd. Myfyrdodau ar wahanol ffyrdd Duw, ei ffordd anchwiliadwy yn y môr a'i lwybrau yn y dyfroedd mawrion. Ei ffyrdd yn y cysegr, ffordd y da a'r drwg, hyfrydwch ac adfyd, diddanwch a thangnefedd, myfyrdod ar y ffordd sy'n arwain i fywyd a'r ffordd sy'n arwain i ddinistr. 'Mae ffordd a dybir ei bod yn uniawn yng ngolwg dyn, ond ei diwedd yw ffyrdd marwolaeth.'

J. D. Vernon Lewis

17. Ymdrech gweddi

Ymdrech yw gweddi. Ni allwn weddïo'n iawn heb geisio'r adnabyddiaeth lwyraf o Dduw. Mae'n bosibl i ddyn fod yn ddiwinydd ffansïol a ffasiynol, neu'n ddiwinydd uniongred ac amddiffynnol, ac eto methu â dilyn ffordd yr adnabod. Mae'n bosibl i ddyn ymfodloni ar yr athrawiaethau a'r arwyddluniau a etifeddwyd ganddo, neu a ddyfeisiwyd ganddo, heb erioed fynd i'r afael â gwir ddirgelwch gogoniant Duw.

W. T. Pennar Davies

18. Antur yr ysbryd

Nid rheol ddiogelwch ydyw addoli Duw; antur yr ysbryd ydyw.

A. N. Whitehead

19. Rhyfedd wyt, O Dduw

Rhyfedd wyt, O Dduw, bob awr
Yn egluro d'allu mawr:
Wrth dy draed, O dysg i mi
Beth wyf fi a phwy wyt ti.

J. Neander (cyf. Elfed)

20. Gweddïo nes bod y chwys yn llifo

Gweddïa nes bod y chwys yn llifo; dyna'r unig ffordd i achub enaid a chenedl a byd. Methu a wna pregethu nad yw'n tarddu o weddi ac yn ymollwng mewn gweddi. Ni fu Pentecost heb oruwch ystafell.

W. T. Pennar Davies

21. Ystyr addoli

Ystyr addoli yw dwysbigo'r gydwybod â sancteiddrwydd Duw, porthi'r meddwl ar wirionedd Duw, puro'r dychymyg gan brydferthwch Duw, agor y galon i gariad Duw, plygu'r ewyllys i bwrpas Duw.

William Temple

22. Moli'r Arglwydd

Y mae mawl neu foli'r Arglwydd yn arwyddo cydnabyddiaeth orfoleddus o'i ragoriaethau a'i rinweddau a'n rhwymedigaethau anfeidrol iddo, ac yn cynnwys gwybodaeth wirioneddol ohono, cymod ag ef, cariad tuag ato, hyfrydwch a gorfoledd ynddo. Ni ddichon neb lai na'i foli ag sydd yn ei wir adnabod.

Thomas Charles

23. Addola Dduw

Ond yn lle'r byd da a addawyd inni wele'r delwau a luniodd ein dwylo a'n dychymyg yn ein gormesu, a'n caethiwo a'n difetha. O'r methiant hwn y cyfyd y gorchymyn – Addola Dduw. Os gofynnir ei enw, ni ellir yn well na defnyddio iaith Llyfr y Datguddiad, 'Myfi yw Alpha ac Omega, y dechrau a'r diwedd, y cyntaf a'r diwethaf', amod diwylliant dynion, ac fel rhan o'r amod y tu hwnt i ddiwylliant uchaf y byd; amod rhesymoldeb y byd, ac oherwydd hynny y tu hwnt i'w ymresymu'n llwyr. Duw ac nid delw; Duw a fedr fygwth gorau daear pan elo'r gorau hwnnw'n ddelw yn ei dro. Aethom i addoli gwaith ein dwylo a dywedyd: 'O ein duwiau'. Nid yw hynny ond cyhoeddi gwallgofrwydd.

Truan o ddyn yw hwnnw a syfrdanwyd ganddo'i hun; sy'n rhyfeddu'n barhaus ato'i hun. Nid oes iechyd i ni na'n gwareiddiad heb ail-ddysgu rhyfeddod mwy. Addola Dduw.'

Gwilym Bowyer

24. 'Dyfod y mae yr awr ...'

Dyfod y mae yr awr, O Dad!
A moroedd ein moliant ni byddant ond bwrn.
Y gwefusau a fu'n symud yn fud o dan fwâu yn ust ein sancteiddrwydd
- gwneud a baid â'u meimio.
Y dirifedi ddwylo a fu'n procio ymhlêth am Dy ffafrau, mor ddiystyr fydd eu hystum!
A holl gêr ein consurwaith – pregeth a llith, cannwyll a chwpan, sagrafen a sioe – ânt yn ffagl i Sain Ffagan y Ffydd!

Ac yn awr y mae ...
Daeth awr y gwir addoli.
Awr gweddïo â dwylo a thraed.   Awr rhoi'r breichiau'n
fenthyg i Ti i godi'r gwan o'r ffos, a rhoi i ti iws ein traed i gerdded yr ail filltir anodd.
Awr ateb gweddïau'r truan â'n harian a'n help.
Awr codi o wres ein gwelyau i lusgo i fyny'r Bryn nas carwn.
Awr rhoi bara ein cwmni ar blât yr unig.
Awr tywallt gwin ein cymundeb ar friwiau'r meddwl.
Awr gwrthod ceiniog ein taeogrwydd i Gesar.
Awr ymwadu â moethau i dalu briwsionyn bach o'n bil i Ti.
Awr ....
Pan addolo gwir addolwyr y Tad mewn ysbryd a gwirionedd.

Gwilym R. Jones

25. Mawr yw'r Arglwydd

Mawr ydwyt ti, O Arglwydd, a chanmoladwy iawn; mawr yw dy nerth ac aneirif dy ddeall. A thydi y myn dyn ei foli. Ti a'n deffry i hyfrydwch dy foliant; canys ti a'n gwnaethost i ti dy hun, a diorffwys yw ein calon hyd oni orffwyso ynot ti. Amen.

Awstin Sant

26. Digon mawr i'w addoli

Pe buasai Duw yn ddigon bach i'w ddeall, ni fyddai'n ddigon mawr i'w addoli

Evelyn Underhill

27. Agos at Dduw

Os nad ydych mor agos at Dduw ag y buoch, pwy symudodd?

Robert H. Schuller

28. Pan yn addoli

Pan fyddaf yn addoli, byddai'n well i'm calon fod heb eiriau nag i'm geiriau fod heb galon.

LaMar Boschman

29. Ein haddoliad

Ni chaiff Duw ei gyffwrdd gan ein haddoliad oni chaiff ein calonnau eu cyffwrdd ganddo Ef.

Kelly Sparks

30. Yr addoliad gorau

Yr addoliad gorau yw gwaith caled.

Thomas Carlyle

31. Mwy o ocheneidiau

Mae'r gweddïau gorau yn cynnwys mwy o ocheneidiau na geiriau.

John Bunyan

32. Bendithion tymhorol

Cyfyngwch eich gweddïau am fendithion tymhorol i'r hyn sy'n wirioneddol angenrheidiol.

Sant Bernard

33. Siarad gyda Duw

Gweddïo yw siarad gyda Duw; myfyrio yw gwrando ar Dduw

Diana Robinson

34. Y weddi orau

Lleia'r geiriau, gorau'r weddi.

Martin Luther

35. Y Beibl

Y Beibl yw'r unig lyfr y mae'r Awdur ei Hun yn bresennol bob tro y caiff ei ddarllen

Anhysbys

36. Sut i addoli

Nid oeddwn yn gwybod sut i addoli hyd nes i mi ddysgu.

Henry Ward Beecher

37. Duw yn deall

Y mae Duw yn deall ein gweddïau, hyd yn oed pan na allwn ddod o hyd i'r geiriau i'w mynegi.

Anhysbys

38. Gweddi sy'n newid

Nid yw gweddi'n newid Duw, ond yn hytrach yn newid y gweddïwr.

Søren Kierkegaard

39. Ffydd sy'n meddiannu

Nid meddiannu ffydd yn unig yw fy nymuniad, ond dymuno i ffydd fy meddiannu i.

Charles Kingsley

40. Un ewyllys

Wrth siarad â Duw, y mae ein gallu i'w gyfarch ac i ddal cymundeb ag ef a gwrando ar ei lef ddistaw fain, yn dibynnu ar fod ein hewyllys ni yn un â'i ewyllys ef.

William Barclay

41. Byd anweledig

O fyd anweledig, fe'th welwn

O fyd anghyffyrddadwy, fe'th gyffyrddwn,

O fyd anwybodadwy, fe'th wybyddwn,

O fyd diamgyffred, fe'th amgyffredwn.

Francis Thompson

42. Dechrau'r Dydd

Yr ydym yn dawel ar ddechrau'r dydd, oherwydd Duw ddylai gael y gair cyntaf; ac yr ydym yn dawel cyn noswylio, oherwydd gan Dduw hefyd y mae'r gair olaf.

Dietrich Bonhoeffer

43. Y pechod mwyaf
Y pechod mwyaf yw diffyg gweddi.

P. T. Forsyth

44. Troi at Dduw
Y mae yna reddf gynhenid ynom sy'n ein troi at Dduw mor naturiol ag yw'r blodyn yn troi at yr haul.

Rufus Jones

45. Un deisyfiad
Dim ond un deisyfiad yng Ngweddi'r Arglwydd sy'n gosod amod: y deisyfiad am faddeuant.

William Temple

46. Nesáu at Dduw
Dylem bob amser nesáu at Dduw gan wybod nad ydym yn ei adnabod. Rhaid nesáu at y Duw anchwiliadwy a dirgel, sy'n ei ddatguddio'i hun fel y myn. Pa bryd bynnag y byddwn ger ei fron, yr ydym gerbron Duw nad ydym eto'n ei adnabod.

Anthony Bloom

47. Anturiaeth gweddi
Y mae gweddi yn anturiaeth sy'n dwyn cyfrifoldebau newydd, ac nid gwefr.

Anthony Bloom

48. Llyw
Ai llyw i chi yw gweddi, ynteu olwyn sbâr?

Corrie ten Boom

49. Gweddi dawel
Po fwyaf a dderbyniwn mewn gweddi dawel, y mwyaf a roddwn mewn bywyd gweithgar.

Malcolm Muggeridge

50. Gogoniant i Dduw

Nid gweddi'n unig sy'n rhoi gogoniant i Dduw. Y mae taro'r eingion, llifio trawst, gwyngalchu mur, gyrru ceffylau, sgubo, sgwrio, y mae popeth yn gogoneddu Duw os gwnewch hynny, trwy ei ras, fel dyletswydd. Y mae mynd i Gymundeb yn deilwng yn rhoi i Dduw ogoniant mawr, ond y mae cymryd bwyd yn ddiolchgar ac yn gymedrol hefyd yn gogoneddu Duw. Y mae codi eich dwylo mewn gweddi yn gogoneddu Duw, ond y mae dyn â fforch dom yn ei law, a gwraig yn gafael mewn bwced o ddŵr budr, hefyd yn ei ogoneddu. Y mae mor fawr fel bod popeth yn ei ogoneddu os mai dyna yw eich bwriad. Felly, fy mrodyr, byddwch fyw.

Gerard Manley Hopkins

51. Taith gweddi

Y mae gweddïau'n teithio'n gyflymach wrth eu gweddïo mewn undeb.

Dihareb Ladin

52. Pregeth hyfryd

Y prawf ar y pregethwr yw bod ei gynulleidfa'n gadael gan ddweud, Rhaid i mi wneud rhywbeth!' 'yn hytrach na dweud, 'Dyna bregeth hyfryd!'

Richard Cecil

53. Rhyfeddod

Rhyfeddod yw sylfaen addoli

Thomas Carlyle

54. Porthu ffydd

Porthwch eich ffydd, a bydd eich amheuon yn llwgu i farwolaeth.

Anhysbys

55. Addoli

Torri trwy'r plisgyn
i geisio'r bywyn blasus;
ymgartrefu mewn rhin
sy'n datod y clymau
i ollwng yr enaid yn rhydd;
chwilio am y Gair
tu hwnt i'r geiriau,
y Rheswm tu hwnt i resymu;
codi pont o ynys fechan
i gyfandir cadarn
lle mae'r gweld yn achub
a'r adnabod yn iacháu;
cadw oed â'r Tragwyddol
yng ngwinllan y gofal,
pan fo'r grawnwin aeddfed
yn cynnal y cymell;
agor y drws i Ymwelydd
a ddwg ei drysorau o draw
i nerthu diddanwch
a llanw'r gwacter yn llwyr.

W. Rhys Nicholas

Y Greadigaeth

56. Chwe diwrnod

Oherwydd mewn chwe diwrnod y gwnaeth yr Arglwydd y nefoedd a'r ddaear, y môr a'r cyfan sydd ynddo; ac ar y seithfed dydd fe orffwysodd; am hynny, bendithiodd yr Arglwydd y dydd Saboth a'i gysegru.

Exodus 20:11

57. Ychydig islaw Duw

O Arglwydd, ein Iôr, mor ardderchog yw dy enw ar yr holl ddaear! Gosodaist dy ogoniant uwch y nefoedd, codaist amddiffyn rhag dy elynion o enau babanod a phlant sugno, a thawelu'r gelyn a'r dialydd. Pan edrychaf ar y nefoedd, gwaith dy fysedd, y lloer a'r sêr, a roddaist yn eu lle, beth yw meidrolyn, iti ei gofio, a'r teulu dynol, iti ofalu amdano? Eto gwnaethost ef ychydig islaw Duw a'i goroni â gogoniant ac anrhydedd. Rhoist iddo awdurdod ar waith dy ddwylo, a gosod popeth dan ei draed: defaid ac ychen i gyd, yr anifeiliaid gwylltion hefyd, adar y nefoedd, a physgod y môr, a phopeth sy'n tramwyo llwybrau'r dyfroedd. O Arglwydd, ein Iôr, mor ardderchog yw dy enw ar yr holl ddaear!

Salm 8

58. Cerydd Duw

Bwriodd allan ei saethau yma ac acw, saethodd fellt a gwneud iddynt atsain. Daeth gwaelodion y môr i'r golwg, a dinoethwyd sylfeini'r byd, oherwydd dy gerydd di, O Arglwydd, a chwythiad anadl dy ffroenau.

Salm 18:14–15

59. Nefoedd yn adrodd

Y mae'r nefoedd yn adrodd gogoniant Duw, a'r ffurfafen yn mynegi gwaith ei ddwylo.

Salm 19:1

60. Eiddo'r Arglwydd

Eiddo'r Arglwydd yw'r ddaear a'i llawnder, y byd a'r rhai sy'n byw ynddo; oherwydd ef a'i sylfaenodd ar y moroedd a'i sefydlu ar yr afonydd.

Salm 24:1–2

61. Gair yr Arglwydd

Trwy air yr Arglwydd y gwnaed y nefoedd, a'i holl lu trwy anadl ei enau. Casglodd y môr fel dŵr mewn potel, a rhoi'r dyfnderoedd mewn ystordai. Bydded i'r holl ddaear ofni'r Arglwydd, ac i holl drigolion y byd arswydo rhagddo. Oherwydd llefarodd ef, ac felly y bu; gorchmynnodd ef, a dyna a safodd.

Salm 33:6–9

62. Arglwydd yn yr uchelder

Cododd y dyfroedd, O Arglwydd, cododd y dyfroedd eu llais, cododd y dyfroedd eu rhu. Cryfach na sŵn dyfroedd mawrion, cryfach na thonnau'r môr, yw'r Arglwydd yn yr uchelder.

Salm 93:3–4

63. Duw mawr

Oherwydd Duw mawr yw'r Arglwydd, a brenin mawr goruwch yr holl dduwiau. Yn ei law ef y mae dyfnderau'r ddaear, ac eiddo ef yw uchelderau'r mynyddoedd. Eiddo ef yw'r môr, ac ef a'i gwnaeth; ei ddwylo ef a greodd y sychdir.

Salm 95:3–5

64. Arglwydd y nefoedd

Eilunod yw holl dduwiau'r bobloedd, ond yr Arglwydd a wnaeth y nefoedd.

Salm 96:5

65. Gwaith ei ddwylo

Gynt fe osodaist sylfeini'r ddaear, a gwaith dy ddwylo yw'r nefoedd. Y maent hwy yn darfod, ond yr wyt ti yn aros; y maent i gyd yn treulio fel dilledyn. Yr wyt yn eu newid fel gwisg, ac y maent yn diflannu; ond yr wyt ti yr un, a'th flynyddoedd heb ddiwedd.

Salm 102:25–27

66. Doethineb

Mor niferus yw dy weithredoedd, O Arglwydd! Gwnaethost y cyfan mewn doethineb; y mae'r ddaear yn llawn o'th greaduriaid.

Salm 104:24

67. O ble y daw cymorth?

Codaf fy llygaid tua'r mynyddoedd; o ble y daw cymorth i mi? Daw fy nghymorth oddi wrth yr Arglwydd, creawdwr nefoedd a daear. Nid yw'n gadael i'th droed lithro, ac nid yw dy geidwad yn cysgu. Nid yw ceidwad Israel yn cysgu nac yn huno. Yr Arglwydd yw dy geidwad, yr Arglwydd yw dy gysgod ar dy ddeheulaw; ni fydd yr haul yn dy daro yn y dydd, na'r lleuad yn y nos. Bydd yr Arglwydd yn dy gadw rhag pob drwg, bydd yn cadw dy einioes. Bydd yr Arglwydd yn gwylio dy fynd a'th ddod yn awr a hyd byth.

Salm 121

68. Nifer y sêr

Y mae'n pennu nifer y sêr, ac yn rhoi enwau arnynt i gyd. Mawr yw ein Harglwydd ni, a chryf o nerth; y mae ei ddoethineb yn ddifesur.

Salm 147:4–5

69. Sylfeini'r ddaear

Ti, yn y dechrau, Arglwydd, a osodaist sylfeini'r ddaear, a gwaith dy ddwylo di yw'r nefoedd. Fe ddarfyddant hwy, ond yr wyt ti'n aros; ânt hwy i gyd yn hen fel dilledyn; plygi hwy fel plygu mantell, a newidir hwy fel newid dilledyn; ond tydi, yr un ydwyt, ac ar dy flynyddoedd ni bydd diwedd.

Hebreaid 1:10–12

70. Y gannwyll leiaf

Ni all yr holl dywyllwch sydd yn y byd ddiffodd y gannwyll leiaf.

Dihareb

71. Y wennol

Gaeaf ni bydd tragyfyth;
Daw'r wennol yn ôl i'w nyth.

Waldo Williams

72. Hap a damwain?

Beth allai fod yn fwy ynfyd na meddwl mai hap a damwain yw'r deunydd prin yma o nefoedd a daear: pan na all holl fedr y gwyddonydd greu wystrys?

Jeremy Taylor

73. Duw yn creu

Duw greodd y wlad a dyn greodd y dref – a gallwch yn sicr weld y gwahaniaeth.

Vance Havner

74. Y Gwneuthurwr

Y mae'r byd yn codi cywilydd arnaf, ac ni allaf feddwl bod yr oriawr yma'n bod heb fod ganddo Wneuthurwr.

Voltaire

75. Prydferthwch ac ystyr

Gwahaniaethir dyn oddi wrth anifeiliaid a pheiriannau ar sail ei dueddiadau moesol, ei angen am gariad, ei ofn o beidio â bod, a'i ddyhead am brydferthwch ac ystyr.

Francis Schaeffer

76. Drama

Sut y daw drama i fodolaeth? A yw'n ei ysgrifennu ei hunan? A yw'r actorion yn ei lunio wrth fynd yn eu blaenau? Neu a oes rhywun – heb fod ar y llwyfan, heb fod yn debyg i'r bobl ar y llwyfan – rhywun na welwn – a greodd y cyfan? Prin y gofynnir nac yr atebir y cwestiwn hwn.

C. S. Lewis

77. Daioni Duw

Nid oes creadur mor fach a distadl nad yw'n cynrychioli daioni Duw.

Thomas á Kempis

78. Beth yw cariad?

Ni all y genom dynol ein cynorthwyo i ddeall gwedd ysbrydol dynoliaeth, na gwybod pwy yw Duw na beth yw cariad. Gall y cwpwl parchus sy'n penderfynu defnyddio geneteg i greu plentyn a fydd yn gerddor dawnus gael yn y diwedd fod ganddynt lencyn diserch nad yw byth yn siarad gyda nhw.

Francis Collins

79. O ddim

Creodd Duw'r byd o ddim, a thra byddwn ninnau'n ddim gall wneud rhywbeth ohonom ni.

Martin Luther

80. Ymddiriedaeth

Y mae'r cyfan a welais yn fy nysgu i ymddiried yr hyn na welais i Dduw.

Ralph Waldo Emerson

81. Llawenydd

Nid oes yr un glaswelltyn, na'r un lliw yn y byd na fwriadwyd i beri i ni lawenhau.

John Calfin

82. Un symbol eang

Nid yw'r bydysawd ond un symbol eang o Dduw.

Thomas Carlyle

83. Gwyrthiau

Nid yw gwyrthiau yn groes i natur, dim ond yn groes i'r hyn a wyddom am natur.

Awstin Sant

84. Rhyfeddod byd natur

Gofynnodd y mynach: 'Oes rhywbeth sy'n fwy gwyrthiol na rhyfeddodau byd natur?' Atebodd y Meistr: 'Oes, dy ymwybyddiaeth o ryfeddodau byd natur.'

Anhysbys

85. Y Creawdwr

Nid wyf erioed wedi deall pam y byddai'n gwneud cam â'r Creawdwr i gredu fod ganddo synnwyr digrifwch.

W. R. Inge

Duw'r Tad

86. Mawrygu Duw
O Arglwydd, fy Nuw ydwyt ti; mawrygaf di a chlodforaf dy enw am iti gyflawni bwriad rhyfeddol, sy'n sicr a chadarn ers oesoedd.

Eseia 25:1

87. Y Duw ffyddlon
'Er i'r mynyddoedd symud, ac i'r bryniau siglo, ni symuda fy ffyddlondeb oddi wrthyt, a bydd fy nghyfamod heddwch yn ddi-sigl', medd yr Arglwydd, sy'n tosturio wrthyt.

Eseia 54:10

88. y cyfamod tragwyddol
Pan fydd y bwa yn y cwmwl, byddaf yn edrych arno ac yn cofio'r cyfamod tragwyddol rhwng Duw a phob creadur byw o bob math ar y ddaear.

Genesis 9:16

89. Duw yn caru
Ond am fod yr Arglwydd yn eich caru ac yn cadw'r addewid a dyngodd i'ch hynafiaid, daeth â chwi allan â llaw gadarn a'ch gwaredu o dŷ caethiwed, o law Pharo brenin yr Aifft. Felly deallwch mai'r Arglwydd eich Duw sydd Dduw; y mae'n Dduw ffyddlon, yn cadw cyfamod a ffyddlondeb hyd fil o genedlaethau gyda'r rhai sy'n ei garu ac yn cadw ei orchmynion.

Deuteronomium 7:8–9

90. Gwenud daioni
Gwnaethost ddaioni i'th was, yn unol â'th air, O Arglwydd.

Salm 119:65

91. Duw ffyddlon
Nid oes un prawf wedi dod ar eich gwarthaf nad yw'n gyffredin i bawb. Y mae Duw'n ffyddlon, ac ni fydd ef yn gadael ichwi gael eich profi y

tu hwnt i'ch gallu; yn wir, gyda'r prawf, fe rydd ef ddihangfa hefyd, a'ch galluogi i ymgynnal dano.

1 Corinthiaid 10:13

92. Edifeirwch
Nid yw'r Arglwydd yn oedi cyflawni ei addewid, fel y bydd rhai pobl yn deall oedi; bod yn amyneddgar wrthych y mae, am nad yw'n ewyllysio i neb gael ei ddinistrio, ond i bawb ddod i edifeirwch.

2 Pedr 3:9

93. Disgwyl
Bûm yn disgwyl a disgwyl wrth yr Arglwydd, ac yna plygodd ataf a gwrando fy nghri. Cododd fi i fyny o'r pwll lleidiog, allan o'r mwd a'r baw; gosododd fy nhraed ar graig, a gwneud fy nghamau'n ddiogel. Rhoddodd yn fy ngenau gân newydd, cân o foliant i'n Duw; bydd llawer, pan welant hyn, yn ofni ac yn ymddiried yn yr Arglwydd.

Salm 40:1–3

94. Adnabod fy enw
"Am iddo lynu wrthyf, fe'i gwaredaf; fe'i diogelaf am ei fod yn adnabod fy enw".

Salm 91:14

95. Gwyn ei fyd
Gwyn ei fyd y sawl a ddisgybli, O Arglwydd, ac a ddysgi allan o'th gyfraith, i roi iddo lonyddwch rhag dyddiau adfyd, nes agor pwll i'r drygionus. Oherwydd nid yw'r Arglwydd yn gwrthod ei bobl, nac yn gadael ei etifeddiaeth.

Salm 94:12–14

96. Cariad a thrugaredd
Ef sy'n gwaredu fy mywyd o'r pwll, ac yn fy nghoroni â chariad a thrugaredd.

Salm 103:4

97. Undod perffaith
Myfi ynddynt hwy, a thydi ynof fi, a hwythau felly wedi eu dwyn i undod perffaith, er mwyn i'r byd wybod mai tydi a'm hanfonodd i, ac i ti eu caru hwy fel y ceraist fi.

Ioan 17:23

98. Dy enw

"Yr wyf wedi gwneud dy enw di yn hysbys iddynt, ac fe wnaf hynny eto, er mwyn i'r cariad â'r hwn yr wyt wedi fy ngharu i fod ynddynt hwy, ac i minnau fod ynddynt hwy".

Ioan 17:26

99. Cariad Duw

Yr wyf yn gwbl sicr na all nac angau nac einioes, nac angylion na thywysogaethau, na'r presennol na'r dyfodol, na grymusterau nac uchelderau na dyfnderau, na dim arall a grëwyd, ein gwahanu ni oddi wrth gariad Duw yng Nghrist Iesu ein Harglwydd.

Rhufeiniaid 8:38–39

100. Llawenydd

Fel y bydd llanc yn priodi merch ifanc, bydd dy adeiladydd yn dy briodi di; fel y bydd priodfab yn llawen yn ei briod, felly y bydd dy Dduw yn llawen ynot ti.

Eseia 62:5

101. Cariad Duw

Do, carodd Duw y byd gymaint nes iddo roi ei unig Fab, er mwyn i bob un sy'n credu ynddo ef beidio â mynd i ddistryw ond cael bywyd tragwyddol.

Ioan 3:16

102. Duw yn caru

Yn hyn y mae cariad: nid ein bod ni'n caru Duw, ond ei fod ef wedi ein caru ni, ac wedi anfon ei Fab i fod yn aberth cymod dros ein pechodau ... Felly yr ydym ni wedi dod i adnabod a chredu'r cariad sydd gan Dduw tuag atom. Cariad yw Duw, ac y mae'r sawl sy'n aros mewn cariad yn aros yn Nuw, a Duw yn aros ynddo yntau ... Yr ydym ni'n caru, am iddo ef yn gyntaf ein caru ni.

1 Ioan 4:10,16,19

103. Chwilio am Dduw

Oherwydd tuedd dynion bellach yw chwilio am Dduw yn hollol yn yr un modd â phe byddent yn chwilio am rywbeth arall; ceisiant ei leoli, neu leoli ei ddylanwad, ceisiant ei gael mewn lle ac amser – a methu, am fod Duw yn 'llond pob lle' a thu hwnt i amser. Pan ddywed y gwyddonydd wrthym ei fod wedi darganfod planed yn y ffurfafen na wyddai neb amdani o'r blaen, ceisiwn wireddu ei haeriad, naill ai trwy droi'r telesgop i'r cyfeiriad a noda, neu trwy ofyn iddo esbonio pa symudiadau ymhlith y bodau nefol eraill sydd yn amhosibl eu hesbonio heb ragdybio dylanwad y blaned newydd. Os y ffordd olaf sydd raid ei chymryd, medrwn ddod o hyd i rywbeth anweledig, a rhywbeth a ddichon aros yn anweledig, drwy fod o gyrraedd unrhyw delesgop, ar bwys ein sylwadaeth o'r hyn y medrwn ei weld. Ac y mae rhywbeth heb fod yn annhebyg iawn i hyn yn y ffordd y sonia'r gwyddonydd am atomau ac electronau nad oes disgwyl i neb fyth eu gweld. Ond nid yn y ffordd hon o gwbl y dywedwn ni fod yr anweledig y deuwn i'w alw'n Dduw ynghudd ym mhob peth a ganfyddwn neu y meddyliwn amdano. Nid ymresymu oddi wrth natur arbennig dim a wnawn ni; pe gwnelem ni hynny, medrai'r dyn modern ein dilyn yn hawdd; dyna yn hollol ei ffordd ef o feddwl. Ac am ei fod yn gaeth iddi, y mae'r syniad o Dduw mor annirnadwy iddo a'i bositifiaeth yn rhemp. Ond haeru a wnawn ni yn hytrach fod y syniad o Dduw yn oblygedig ym modolaeth unrhyw beth a phob peth.

Hywel D. Lewis

104. Tyred a Gwêl

Os amheui eto, dywedaf wrthyt, fel y dywedodd Philip wrth Nathanael, 'Tyred a gwêl'. Fel yr argyhoedda'r Greadigaeth a Rhagluniaeth dy reswm di, gwaith 'yr Adenedigaeth ac adnewyddiad yr Ysbryd Glân' a lwyr argyhoedda dy galon, ac a ysgrifenna'r gyfraith ynddi, onis gwrthodi hi. Oni choeli fod athrawiaeth y ffydd yn win melys ac iachus wrth weld eraill yn ei dymuno, ac yn siriol ar ei hôl, prawf hi dy hun, a dywedi'r un peth. Golch lygaid gwan dy feddwl â dagrau edifeiriol, a gloywach fyddant, a chanfyddi ewyllys Duw yn graffach, a gweli'r Haul Cyfiawnder wrth ei oleuni ei hun. Oddi wrth darth cnawdoliaeth y cyfyd niwl yn y meddwl. Bydd pob dyn â deall wedi ei dywyllu, tra byddo wedi ymddieithrio oddi wrth fuchedd Duw. Ond y meddwl newydd a gaiff 'brofi beth yw daionus a chymeradwy, a pherffaith ewyllys Duw'. A'r hwn sydd yn credu ym Mab Duw, sydd ganddo'r dystiolaeth hon ynddo ei hun ...

Oni bydd dyn yn yr un elfen â'r peth yr edrycho arno, nis gwêl yn iawn. Pan edrycho dyn oddi ar y lan ar bren yn y dŵr, efe a'i gwêl yn gam er ei fod yn union. Felly ni ddichon yr hwn sydd mewn cyflwr cnawdol iawn ddirnad y gwirionedd grasol; 'oblegid yn ysbrydol y bernir ef'. Meibion Duw, sydd gynefin â'i bresenoldeb Ef, ac arferol o drin ei negesau, a adwaenant ysgrifen law eu tad nefol. Cais burdeb calon, a chei weled Duw a'i ewyllys hefyd.

Charles Edwards

105. Yr Egnïon Eithaf

Y peth a wna'r Efengyl yn gyntaf a phennaf yw ein sicrhau fod Duw yn gariad a'i fod yn feistr ar yr holl sefyllfa – ar yr amod, fodd bynnag, ein bod ni, ddynion, yn gweithredu ffydd ddiffuant yn Nuw, a thrwy'r ffydd honno yn defnyddio hyd yr eithaf yr adnoddau dwyfol sydd at ein gwasanaeth. Y mae egnïon eithaf y cyfanfyd o blaid ein gwerthoedd uchaf. Y mae'r galluoedd eithaf hyn ar waith yn awr yn y byd yn ymladd yn erbyn y drygau sydd ynddo ac o blaid yr hyn sydd dda. Ond gweithredant nid fel haniaethau noeth yn y nwyfre, eithr yn ôl fel yr ymgnawdolant – mewn personau byw a sefydliadau effro ar y ddaear. Agorodd Duw ffordd newydd a bywiol i bawb ohonom i ddod i undeb â'r egnïon hyn o eiddo ewyllys Duw yn y byd. Datguddiwyd y ffordd hon yn Iesu Grist. Ynddo Ef a thrwyddo, cafodd cariad Duw ffordd nerthol, newydd i weithio yn hanes a phrofiad y ddynolryw.

Yn ychwanegol at roddi i ni'r sicrwydd fod Duw'n gariad, neu'n hytrach fel achos a sail i'r fath sicrwydd, geilw'r Efengyl arnom i weithredu ffydd yn Nuw, fel y gwelir adlewyrch o'i ddisgleirdeb 'yn wyneb Iesu Grist', Duw fel y mae'n weithgar yn y cwbl a lifodd allan o fywyd, marwolaeth a dyrchafiad Crist. Golyga'r cyfryw ffydd ein bod yn cefnu ar anobaith ac ofn ar y naill law, ac ar unrhyw ymgais ar y llaw arall i'n hystyried ein hunain yn fodau uwchraddol mewn byd, sydd oni bai amdanom ni, yn gwbl ddrwg! Golyga ein cyflwyno ein hunain i Dduw, a thrwy hynny ein cymodi â'i bwrpas yn y byd a dyfod i linell yr egnïon y cyflwynir y pwrpas hwnnw drwyddynt ... Fe'n hachubir yn ôl fel y caniatawn i'r hwn sy'n achub y byd ein defnyddio i'w ddibenion ei hun. Yna gwireddir geiriau Dante:

'*In la sua volontad e nostra pace*',

'Yn ei ewyllys Ef y mae ein tangnefedd.'

D. Miall Edwards

106. Y Seren

Y seren yn unig sy'n aros mwy
O'm holl gyfeillion i gyd,
Mor dda cael cyfaill yn ddigon pell
I ddal yn fy ymyl o hyd.

Wil Ifan

107. Fy ffydd

Pe chwythai y corwynt fi'n fil o ddarnau
Fel niwl trwy gangau y deri a'r yw,
Ni phallai fy ffydd, na sain fy nghaniadau,
Cans gwn na'm chwythid tu hwnt i ffiniau
Y bwriad sy fyth yng nghyfrinach Duw.

Hedd Wyn

108. Nos a Duw

Mae nos a Duw yn llawer gwell
Na golau ddydd a Duw ymhell.

109. Teulu dedwydd

O Dad, yn deulu dedwydd – y deuwn
Â diolch o'r newydd,
Cans o'th law y daw bob dydd
Ein lluniaeth a'n llawenydd.

W. D. Williams

110. Angen dyn

Angen dyn yw cyfle Duw.

D. J. Williams

111. Duw'n llefaru

Trwy i ddyn chwilio y daw darganfyddiad; trwy i Dduw lefaru y daw
datguddiad.

E. Tegla Davies

112. Eilun

Eilun yw'r duw hwnnw sy'n caniatáu i ni brofi ei fodolaeth

Dietrich Bonhoeffer

113. Porth iachawdwriaeth

Ni waherddir neb rhag galw ar Dduw, y mae porth iachawdwriaeth yn agored i bawb: does dim a all rwystro ein mynediad ond ein hanghrediniaeth.

John Calfin

114. Adnabod Duw

Nid y ffaith nad yw dynion yn adnabod Duw yw trasiedi'r byd a'r bywyd hwn; y drasiedi yw eu bod, o'i adnabod Ef, yn dal i fynnu dilyn eu ffyrdd eu hunain.

William Barclay

115. Duw natur

Os mai Duw natur yn unig sydd gennym nid oes gennym Dduw moesol

Reinhold Niebuhr

116. Crefydd eithafol

Y duedd i honni fod Duw o blaid ein gwerthoedd a'n dibenion ni yw gwraidd pob crefydd eithafol.

Reinhold Niebuhr

117. Pethau mawr

Disgwyliwch bethau mawr gan Dduw, mentrwch bethau mawr dros Dduw.

William Carey

118. Y dyfodol

Mae'r dyfodol mor olau ag addewidion Duw.

William Carey

119. Heb Dduw

Heb Dduw heb fyd, heb fyd heb Dduw

Friedrich Schleiermacher

120. Hanfod crefydd

Hanfod crefydd yw'r ymdeimlad o ddibyniaeth lwyr.

Friedrich Schleiermacher

121. Amheuaeth

Nid yw amheuaeth yn groes i ffydd; un elfen o ffydd ydyw.

Paul Tillich

122. Sôn am Dduw

Gobeithiaf am y dydd y gall pawb sôn am Dduw unwaith eto heb deimlo'n chwithig.

Paul Tillich

123. Dewrder i fyw

Y mae'r dewrder i fyw, wedi ei wreiddio yn y Duw sy'n ymddangos pan yw Duw wedi diflannu ym mhryder amheuaeth.

Paul Tillich

124. Cyfrif

Gall unrhyw ffŵl gyfri'r hadau yn yr afal. Dim ond Duw all gyfri'r afalau yn yr hedyn.

Robert H. Schuller

125. Cariad Duw

Y mae Duw yn eich caru os ydych yn hoffi hynny ai peidio.

Anhysbys

126. Deall Duw

Nid yw Duw'r hyn a ddychmygwch neu y credwch eich bod yn ei ddeall. Os ydych yn deall, yr ydych wedi methu.

Awstin Sant

127. Credu

Yr wyt ti'n credu bod Duw yn un. Da iawn! Y mae'r cythreuliaid hefyd yn credu hynny, ac yn crynu.

Iago 2:19

128. Byw fy mywyd

Byddai'n well gennyf fyw fy mywyd fel pe byddai Duw yn bod, a marw a gweld nad yw'n bod; yn hytrach na byw fy mywyd fel pe na fyddai Duw yn bod, a marw a gweld ei fod.

Albert Camus

129. Duw ar goll
Y mae rhai yn siarad am ddod o hyd i Dduw fel pe byddai ef ar goll!

Anhysbys

130. Atebion Duw
Y mae atebion Duw yn ddoethach na'n gweddïau.

Anhysbys

131. Un person a Duw
Y mae un person a Duw bob amser yn fwyafrif

John Knox

132. Rhoddion Duw
Y mae rhoddion Duw yn cywilyddio breuddwydion gorau dyn.

Elizabeth Barret Browning

133. Awgrym gan Dduw
Awgrym gan Dduw yw pob posibilrwydd.

Søren Kierkegaard

134. Cyflawni ewyllys Duw
Gwelais nad yw cyflawni ewyllys Duw yn gadael amser i amau ei fwriadau.

George MacDonald

135. Tri cham
Y mae tri cham yng ngwaith Duw: amhosibl; anodd; cyflawnwyd.

James Hudson Taylor

136. Gwrthrych Gras
Rhyngodd bodd i Dduw trwy ddatguddiad ei sancteiddrwydd a'i ras ... fy argyhoeddi o'm pechod ... Fe'm newidiwyd o fod yn Gristion i fod yn grediniwr, o fod yn garwr cariad i fod yn wrthrych gras.

P. T. Forsyth

137. Gwaith Duw
Ni ddylem wahanu'r hyn a wna Duw drosom oddi wrth yr hyn a wna drwom.

Charles Gore

138. Cysur Duw

Nid er mwyn ein gwneud yn gysurus y mae Duw'n ein cysuro, ond er mwyn ein gwneud yn gysurwyr.

John Henry Jowett

139. Crefydd

Camgymeriad yw credu fod gan Dduw unrhyw ddiddordeb mewn crefydd.

William Temple

140. Ufudd-dod

Y mae pob datguddiad o Dduw yn orchymyn, a'r ffordd at wybodaeth o Dduw yw ufudd-dod.

William Temple

141. Dirgelwch

Mewn ffordd bwysig iawn, y mae gweithgarwch Duw yn y byd, boed mewn creadigaeth neu waredigaeth, yn parhau'n ddirgelwch.

Peter Baelz

142. Yn bersonol

Nid oes dim yn Nuw sy'n amhersonol. Y mae ei Air yn bersonol. Y mae ei Ysbryd yn bersonol. Yn wir, rhaid i bersonoliaeth yn Nuw fod yn beth gwahanol iawn i bersonoliaeth ynom ni. Ond y mae hynny oherwydd ein bod ni'n bell o fod yn berffaith bersonol. Duw yw'r unig Fod sy'n berffaith bersonol.

Donald M. Baillie

143. Ffolineb gogoneddus

Y mae bod yn fyw i realiti Duw yn golygu bod yn ymwybodol o'i ffolineb gogoneddus ac o'r dioddefiadau anfeidrol sy'n ei wneud yn Dad ac yn gyfaill i holl ffyliaid cariad.

John Austin Baker

144. Dyfodiad Crist

Dyfodiad Crist yw'r prawf terfynol fod Duw'n gofalu.

William Barclay

145. Bydd drugarog

Pan ddaw'r dydd y bydd rhaid i mi ymddangos o flaen fy Arglwydd, ni ddof gyda fy ngweithredoedd a'm cyfrolau 'Dogmatics' ar fy nghefn. Byddai'n rhaid i'r holl angylion yno chwerthin. Ond ni fyddaf chwaith yn dweud, 'Rwyf bob amser wedi meddwl yn dda; roedd gennyf ffydd dda'. Na, un peth a ddywedaf bryd hynny, 'Arglwydd bydd drugarog wrthyf i, bechadur!'

Karl Barth

146. Pechod

Nid meddwl yn barhaus am eu pechodau, ond y weledigaeth o sancteiddrwydd Duw sy'n gwneud y saint yn ymwybodol o'u pechodau.

Anthony Bloom

147. Amhosibl!

Y mae Duw'n codi lefel yr amhosibl.

Corrie ten Boom

148. Beth a wyddom am Dduw

Y peth cyntaf a wyddom am Dduw yw na wyddom ddim amdano, ar wahân i'r hyn y mae ef ei hun yn ei amlygu.

Emil Brunner

149. Duw'n credu

Y mae gan y rhai nad ydynt yn credu un peth yn gyffredin â'r rhai sy'n credu – sef bod Duw'n credu ynddynt hwy.

Hélder Câmara

150. Adlewyrchu Duw

Yr ydym yn ddrychau Duw, wedi ein creu i'w adlewyrchu. Hyd yn oed pan nad yw'r dyfroedd yn dawel, y maent yn adlewyrchu'r awyr.

Ernesto Cardenal

151. Gwybod gormod

Y mae'n dramgwydd i mi os yw pobl yn meddwl eu bod yn gwybod gormod am Dduw ... oherwydd nid yw'r iaith am Dduw yn gwneud synnwyr ond pan fydd yn cyfeirio at yr hyn sydd mewn gwirionedd y tu hwnt i brofiad dyn.

John Habgood

152. Darganfod Duw

Rwy'n falch nawr i mi ddarganfod Duw cyn darganfod y Beibl.

Richard Holloway

153. Duw'n achub

Os na ellir achub yr Hindu gostyngedig ar y Ganges heb iddo droi'n Fedyddiwr neu'n Eglwys Loegr neu'n Babydd, yna nid Duw yw'r Duw hwnnw rwy'n dymuno credu ynddo.

Eric James

154. Sibrwd ein pleserau

Y mae Duw yn sibrwd yn ein pleserau ond yn gweiddi yn ein poen.

C. S. Lewis

155. Dioddef poen

Pan fydd rhaid dioddef poen, bydd ychydig ddewrder yn fwy o gymorth na gwybodaeth; ychydig gydymdeimlad dynol yn fwy na llawer o ddewrder; a'r ychydig lleiaf o gariad Duw yn fwy na dim.

C. S. Lewis

156. Bod yn onest

Yr unig beth a fedraf ei wneud yw ceisio bod yn onest – yn onest wrth Dduw ac ynglŷn â Duw – a dilyn y ddadl i ba le bynnag mae'n arwain.

John A. T. Robinson

157. Duw yn ymweld

Y mae Duw yn ymweld â ni'n aml, ond gan amlaf rydym oddi cartref.

Dihareb Ffrengig

158. Gras Duw

Pe byddet yn gwybod y Beibl i gyd ar dy gof, a dywediadau'r holl athronwyr, pa elw fyddai hynny i ti heb gariad Duw a'i ras?

Thomas à Kempis

159. Gwybodaeth am Dduw

Y mae'r wybodaeth am Dduw wedi ei phlannu'n naturiol ym mhawb.

Tomos o Acwin

160. Duw yn dda

Os dywedwch, 'Y mae Duw yn dda, yn fawr, yn ddoeth neu unrhyw beth cyffelyb', y man cychwyn yw hyn: y mae Duw.

Sant Bernard

161. Bodolaeth Duw

Profir bodolaeth Duw nid yn unig gan y sawl sy'n ei geisio, ond hefyd yn nallineb y sawl nad yw'n ei geisio.

Blaise Pascal

162. Duw yn hwyl

Y mae Duw yn hwyl ddi-ben-draw.

Mary O'Hara

163. Llawenydd

Yr ydym i gyd yn llinynnau yng nghyngerdd ei lawenydd.

Jakob Boheme

164. Machlud yn wawr

Trodd Ef y machlud yn wawr.

Clement

165. Llawenydd

Llawenydd yw atsain bywyd Duw oddi mewn i ni.

Joseph Marmion

166. Heddwch

Lle mae heddwch y mae Duw.

George Herbert

167. Profiad o Dduw

Y galon sy'n cael profiad o Dduw, ac nid y rheswm.

Pascal

168. Dibyniaeth ar Dduw

Y mae dibyniaeth ar Dduw yn gorfod dechrau o'r dechrau bob dydd, fel petai dim wedi ei wneud eto.

C. S. Lewis

169. Ffydd

Weithiau byddwch yn dweud wrthych chi eich hun: 'Y mae'r tân sydd ynof yn diffodd'. Ond nid chi gyneuodd y tân. Nid eich ffydd sy'n creu Duw, ac nid yw eich amheuon yn ei ddileu.

Y Brawd Rosier, Taizé

170. Cariad Duw

Os gwyddoch fod Duw'n dod atoch ... yr hyn sy'n cyfrif yw darganfod bod Duw'n eich caru, hyd yn oed os ydych yn meddwl nad ydych chi'n ei garu ef.

Y Brawd Rosier, Taizé

171. Duw yn gweithio

Bûm ym mhob dim, yn aflan. Os gall Duw weithio drwof i, gall weithio drwy unrhyw un.

Ffransis o Asisi

172. Gweddïo

Pan fyddaf yn gweddïo dros berson arall, yr wyf yn gweddïo ar Dduw i agor fy llygaid i'w weld fel y mae Duw'n ei weld, ac yna ymuno â'r llifeiriant o gariad y mae Duw eisoes yn ei gyfeirio tuag ato.

Philip Yancey

173. Bodolaeth Duw

Os nad yw Duw'n bod, mae caniatâd i bopeth.

Fyodor Dostoevsky

174. Llond y nefoedd

Mae'n llond y nefoedd, llond y byd,
  llond uffern hefyd yw;
llond tragwyddoldeb maith ei hun,
  diderfyn ydyw Duw;
mae'n llond y gwagle yn ddigoll,
  mae oll yn oll, a'i allu'n un,
anfeidrol, annherfynol Fod
  a'i hanfod ynddo'i hun.

Edward Jones

Iesu / Person Crist

175. Adnabod y Tad

"Os ydych wedi f'adnabod i, byddwch yn adnabod y Tad hefyd. Yn wir, yr ydych bellach yn ei adnabod ef ac wedi ei weld ef." Meddai Philip wrtho, "Arglwydd, dangos i ni y Tad, a bydd hynny'n ddigon inni." Atebodd Iesu ef, "A wyf wedi bod gyda chwi cyhyd heb i ti fy adnabod, Philip? Y mae'r sawl sydd wedi fy ngweld i wedi gweld y Tad. Sut y medri di ddweud, 'Dangos i ni y Tad'? Onid wyt yn credu fy mod i yn y Tad, a'r Tad ynof fi? Y geiriau yr wyf fi'n eu dweud wrthych, nid ohonof fy hun yr wyf yn eu llefaru; y Tad sy'n aros ynof fi sydd yn gwneud ei weithredoedd ei hun."

Ioan 14:7–10

176. Proffwyd

Hwn yw'r Moses a ddywedodd wrth blant Israel, 'Bydd Duw yn codi i chwi o blith eich cyd-genedl broffwyd, fel y cododd fi.' Hwn yw'r un a fu yn y gynulleidfa yn yr anialwch, gyda'r angel a lefarodd wrtho ar Fynydd Sinai a chyda'n hynafiaid ni. Derbyniodd ef oraclau byw i'w rhoi i chwi. Eithr ni fynnodd ein hynafiaid ymddarostwng iddo, ond ei wthio o'r ffordd a wnaethant, a throi'n ôl yn eu calonnau at yr Aifft.

Actau 7:37–39

177. Mab y Dyn

A dywedodd, "Edrychwch, 'rwy'n gweld y nefoedd yn agored, a Mab y Dyn yn sefyll ar ddeheulaw Duw".

Actau 7:56

178. Pechod

Yr hyn oedd y tu hwnt i allu'r Gyfraith, yn ei gwendid dan gyfyngiadau'r cnawd, y mae Duw wedi ei gyflawni. Wrth anfon ei Fab ei hun, mewn ffurf debyg i'n cnawd pechadurus ni, i ddelio â phechod, y mae wedi collfarnu pechod yn y cnawd.

Rhufeiniaid 8:3

179. Crist Iesu

Pwy sydd yn ein collfarnu? Crist Iesu yw'r un a fu farw, yn hytrach a gyfodwyd, yr un hefyd sydd ar ddeheulaw Duw, yr un sydd yn ymbil trosom.

Rhufeiniaid 8:34

180. Cariad Duw yng Nghrist

Yr wyf yn gwbl sicr na all nac angau nac einioes, nac angylion na thywysogaethau, na'r presennol na'r dyfodol, na grymusterau nac uchelderau na dyfnderau, na dim arall a grëwyd, ein gwahanu ni oddi wrth gariad Duw yng Nghrist Iesu ein Harglwydd.

Rhufeiniaid 8:38–39

181. Iesu Grist yn Arglwydd

Amlygwch yn eich plith eich hunain yr agwedd meddwl honno sydd, yn wir, yn eiddo i chwi yng Nghrist Iesu. Er ei fod ef ar ffurf Duw, ni chyfrifodd fod cydraddoldeb â Duw yn beth i'w gipio, ond fe'i gwacaodd ei hun, gan gymryd ffurf caethwas a dyfod ar wedd ddynol. O'i gael ar ddull dyn, fe'i darostyngodd ei hun, gan fod yn ufudd hyd angau, ie, angau ar groes. Am hynny tradyrchafodd Duw ef, a rhoi iddo'r enw sydd goruwch pob enw, fel wrth enw Iesu y plygai pob glin yn y nef ac ar y ddaear a than y ddaear, ac y cyffesai pob tafod fod Iesu Grist yn Arglwydd, er gogoniant Duw Dad.

Philipiaid 2:5–11

182. Disgleirdeb gogoniant Duw

Ef yw disgleirdeb gogoniant Duw, ac y mae stamp ei sylwedd ef arno; ac y mae'n cynnal pob peth â'i air nerthol. Ar ôl iddo gyflawni puredigaeth pechodau, eisteddodd ar ddeheulaw'r Mawrhydi yn yr uchelder.

Hebreaid1:3

183. Gweld Iesu

Eithr yr ydym yn gweld Iesu, yr un a wnaed am ryw ychydig yn is na'r angylion, wedi ei goroni â gogoniant ac anrhydedd oherwydd iddo ddioddef marwolaeth, er mwyn iddo, trwy ras Duw, brofi marwolaeth dros bob dyn. Oherwydd yr oedd yn gweddu i Dduw, yr hwn y mae popeth yn bod er ei fwyn a phopeth yn bod drwyddo, wrth ddwyn pobl lawer i ogoniant, wneud tywysog eu hiachawdwriaeth yn berffaith trwy ddioddefiadau.

Hebreaid 2:9–10

184. Oen Duw

Ond â gwaed gwerthfawr Un oedd fel oen di-fai a di-nam, sef Crist. Yr oedd Duw wedi ei ddewis cyn seilio'r byd, ac amlygwyd ef yn niwedd yr amserau er eich mwyn chwi sydd drwyddo ef yn credu yn Nuw, yr hwn a'i cyfododd ef oddi wrth y meirw ac a roes iddo ogoniant, fel y byddai eich ffydd a'ch gobaith chwi yn Nuw.

1 Pedr 1:19–21

185. Ymddifyrru yn Ei Berson

Cefais lawer o bleser wrth fyfyrio am y wraig Sŵnamees yn neilltuo stafell ar y mur i ŵr Duw orffwys ynddi pan ddelai heibio, gan osod gwely, bwrdd, stôl a chanhwyllbren. Fe allai fod y wraig honno, gan ei hiraeth am y proffwyd, yn mynych droedio'r ystafell, ac yn cael ei llonni mewn disgwyliad am y gŵr. Ond beth bynnag am hynny, y mae yn gysur calon i gredadun, yn absenoldeb gwedd wyneb ei Arglwydd, fod y dodrefn ar ôl mewn amryw ystyriaethau. Yn un peth, y mae'n arwydd ei fod heb ei roi i fyny. Peth arall, y mae yn *lodging* rhy boeth i ddiafol. Pan ddêl y gelyn i mewn fel afon gref, Ysbryd yr Arglwydd a'i ymlid ef ymaith. Ni all gymaint â chodi ei ben yn nheml Dduw heb grynu, nac edrych ar ddim o'i mewn – ond ar ôl ei draed ei hun – heb arswydo. Am hynny, llefwn lawer am i'r Ysbryd Glân wneud ei gartref yn ein cyflwr ...

Y gair hwnnw ar fy meddwl: "A gwaed Iesu Grist, ei Fab Ef, sydd yn ein glanhau ni oddi wrth bob pechod". Ni fu erioed fwy o hiraeth arnaf am fod yn bur. Y gair hwnnw ar fy meddwl: "Y tŷ, pan adeiladwyd, a adeiladwyd o gerrig wedi eu cwbl naddu". Byddaf yn meddwl weithiau nad oes arnaf eisiau newid fy ngwisg byth, ond bod ynof chwant am fod yn lân yn fy ngwisg. Byddai'n iawn gennyf gael aros mwy yn y cysegr, fel y soniasoch yn helaeth a gwerthfawr. Yr wyf yn disgwyl yn aml ryw dywydd blin i'm cyfarfod ... Am help gyda Duw, pa beth bynnag a'm cyfarfyddo. A diolch byth fod y ffwrnes a'r ffynnon mor agos i'w gilydd.

Ann Griffiths

186. Y Duwdod

Neidio rhag penllanw'r Duwdod – a wnaf
　　Gan ofn ei adnabod;
　　Ond Ann, a'r ymchwydd yn dod,
　　A foddodd mewn rhyfeddod.

T. Arfon Williams (am Ann Griffiths)

187. Dirgelwch

Bron bob tro y ceir y gair 'dirgelwch' yn y Testament Newydd (ac fe ddigwydd yn fynych), ceir rhyw air fel 'datguddio' neu 'hysbysu' yn yr un cymal. Nid Bod sy'n ymguddio'n unig yw Duw, ond un sy'n ymddatguddio. Y mae holl ymwneud Duw â'r byd yn ddatguddiad o'i natur a'i ewyllys. Fe'i hysbysa ei Hun mewn natur, rhagluniaeth a gras. A thrwy hynny gwelir bod llinell aur y Pwrpas Dwyfol yn rhedeg trwy holl dryblith ac anhrefn ymddangosiadol pethau. Ac os methwn â chanfod hyn yn unman arall, fe'i gwelwn yng Nghrist. Y tu allan i Grist, efallai bod y cwbl yn dywyll inni ar brydiau. Ond 'ynddo Ef' cawn oleuni ar y dirgelwch, cymaint o oleuni ag y gallwn ni ei ddal, a chymaint ag y mae'n rhaid inni wrtho ... Y mae dirgelwch, eithr nid dirgelwch anodd un y fagddu yw, ond 'dirgelwch ewyllys' a honno'n ewyllys sydd â'i hanfod yn gariad. Y mae ewyllys ddaionus, gariadus yn bod goruwch y niwloedd a'r cymylau.

D. Miall Edwards

188. Person Crist

Clywais bregeth yn ddiweddar ar y testun, 'Y peth a unodd Duw na wahaned dyn'. Nid am briodas y soniai'r pregethwr yn arbennig, ond am amryfal gylchoedd eraill lle mae dyn yn gwahanu'r hyn a unodd Duw. Ond fe allasid ychwanegu dyndod a Duwdod Crist. Y rhyfeddod sydd yn gwneud Crist yn Dduw yw iddo fod yr hyn oedd mewn byd fel hwn. Mae yna ryw fod i'r dim, ryw addasrwydd annirnadwy yn Iesu Grist, mewn gair a gweithred, a hynny, nid yn ysbeidiol, ond bob amser, ac ym mhob cylch o fywyd; yr oedd ym mhob peth 'yr un ffunud â ninnau', mae ei ddynoliaeth yn gyflawn, ac eto mor wahanol. 'Ni lefarodd neb fel y dyn hwn', ac nid ymarweddodd neb chwaith. Un ohonom yw, ac eto nid un ohonom. Fe'i ganed yn dlawd a thrwy wewyr gwraig (a da fyddai peidio gwau gormod o ffansi o gwmpas hyn); gwybu lawenydd bywyd a'i chwerwder, ei fwyniant a'i siom a'i flinder. Fel y

41

lladron, bu farw'n ddirmygedig ar bren. O'i breseb i'r groes, symudodd yn gyson trwy rigolau cyffredin bywyd, ac ni cheisiodd godi ohonynt, ond cawn ef yn symud hefyd ym mhob peth mewn dimensiwn cwbl wahanol i'r eiddom ni. Fel y deuwn i'w adnabod, fe welwn fwyfwy yn y dyn Crist Iesu 'ogoniant megis yr Unig anedig oddi wrth y Tad, yn llawn gras a gwirionedd'.

> "Dwy natur mewn un person
> Yn anwahanol mwy."

A hanfod y profiad Cristnogol yw dod i ymwybod â'r gwirionedd rhyfedd hwn.

Hywel D. Lewis

189. Trugaredd

Trugaredd yw gwir olud yr Arglwydd; ac am hynny ni ddywedir ei fod yn gyfoethog mewn dim oddieithr mewn trugaredd a gras, ac yn y gogoniant y mae'r pethau hyn yn amlygiad ohono. Ac yn wir, wrth hynny o drugaredd sydd mewn dyn y dylid mesur ei gyfoeth yntau; canys y mae gwir gyfoeth Duw a dyn yn gynwysedig yn yr hyn yr ydys yn ei roddi, ac nid yn yr hyn yr ydys yn ei gadw. Pan yw Duw a dyn yn trugarhau, y maent yn rhoi rhywfaint ohonynt eu hunain - o'r hyn sydd ynddynt, ac nid o'r hyn sydd ganddynt yn unig, ac felly yn rhoi rhywbeth sydd yn werthfawrusach na'r aur colladwy. Pan fynnodd Duw roi bywyd tragwyddol i ddynion, fe roes ei Hun; fe roes ei Fab. Bellach, y mae pob bendith a ddyry Duw i ni â'i law wedi ei thynnu allan o'i galon ef. Y mae llun calon y Tad ar bob ceiniog y mae efe yn ei rhoi i'w blant. Y mae yn rhoi ymborth i'w diwallu, gyda dymuniadau gorau Tad, ac yn rhoi gwisg i'w dilladu, gyda chofion cynnes Tad. Y mae ei drugaredd ar ei holl weithredoedd; canys er pan aethom yn blant afradlon, y mae pob bendith ysbrydol a thymhorol yn dyfod i ni yn ffurf trugaredd.

Emrys ap Iwan

190. Y Dyn Rhydd

Crist yw'r Dyn Rhydd. Fy enaid, edrych arno: ar ei noethni, ei waed, ei chwys. Y Carcharor Tragwyddol! Mae'r milwyr yn ei guro, dan regi a chwerthin yn feddw. Teimlant eu bod yn cynrychioli gwareiddiad uwch na'r eiddo ef, a diwylliant cyfoethocach a hil anhraethol well. Ym mhob curiad y mae dirmyg a thrachwant. Onid meistri'r byd yw milwyr Rhufain?

Hyd yn oed yn ei ing a'i waradwydd, y mae'r Crist yn tosturio wrth y milwyr yn eu caethiwed. Efe yw'r Dyn Rhydd. Sylla arno, fy enaid. A oes ganddo gyfoeth, gallu bydol, safle dylanwadol yn nhrefniadaeth y wlad? Nac oes. Nid oes ganddo ddim ond corff yn awr, ac y mae'r milwyr yn trin y corff hwnnw fel y mynnant. Cnawd, gwaed, croen, esgyrn, gwallt – y pethau hyn yn unig sydd ganddo'n awr, ac y mae Teyrnas y Fall am ddwyn y pethau hyn oddi arno.

Edrych arno, fy enaid. Dyn Rhydd ydyw; yr unig ddyn rhydd yn Jerwsalem. Carchar yw ymerodraeth Pilat; carchar yw crefydd Caiaffas; carchar yw breuddwyd Jwdas; carchar yw dryswch Pedr; carchar yw uchelgais Herod; carchar yw mudiad gwrthryfelgar Barabbas wedi'i ryddhau o'i gell. Crist yn unig sydd yn rhydd. Fy enaid, saf gydag ef. Y fan honno, wrth ei ochr, dan lach y milwyr, y mae rhyddid i'w gael.

W. T. Pennar Davies

191. Person Crist
Dyma ryfeddod mawr person Crist. Nid oes modd ei osgoi, ac eto nid yw'n gorfodi neb. Hyd yn oed pan fo yn ein herio, fe fyn wneud rhyddid ein hewyllys yn real. Nid oes dim byd na wna er ein mwyn. Ac eto, 'os myn' yw dechrau pob galw a phob rhodd. Ei rodd gyntaf i ni yw rhyddid i ddewis.

Walter P. John

192. Popeth yn cydsefyll
Aeth ein byd yn deilchion. A'r hyn sy'n digwydd i ddinasyddion byd a aeth yn deilchion yw na allant ganfod ystyr pethau. Dyma'r 'gwacter ystyr' y buom yn sôn gymaint amdano yn y chwedegau ... Ni fwriadwyd inni erioed wneud peth mor aruthrol â thywallt ystyr i'n bywyd briw. Y Newyddion Da yw mai yng Nghrist y mae popeth yn cydsefyll. Trwy eu cysylltiadau ag Ef y mae pob rhan o'n bywyd a'n Cread yn derbyn ystyr.

R. Tudur Jones

193. Dilyn Fi

Daw atom fel Un anhysbys, yn ddienw, fel cynt ar lan y llyn; daeth at y sawl nad oeddent yn ei adnabod. Y mae'n llefaru'r un geiriau: 'Dilyn Fi', gan osod i ni'r tasgau y mae'n rhaid iddo eu cyflawni yn ein cyfnod ni. Y mae'n gorchymyn. Ac i'r rhai sy'n ufuddhau, boed ddoeth neu syml, bydd yn amlygu ei hun yn y gwaith, y gwrthdaro a'r dioddefaint a ddaw i'w rhan yn ei gymdeithas ef. A thrwy ddirgelwch anhraethadwy, cânt wybod drwy brofiad personol pwy yw Ef.

Albert Schweitzer

194. Y Ffydd Gristnogol

Nid yw Crist yn ein hachub drwy weithredu dameg cariad dwyfol; y mae'n gweithredu'r ddameg drwy ein hachub. Dyna'r Ffydd Gristnogol

Austin Farrer

195. Y ffordd

Nid yw Iesu'n rhoi rysáit sy'n dangos y ffordd at Dduw fel y gwna athrawon crefydd eraill. Ef ei hun yw'r ffordd.

Karl Barth

196. Person

Trwy dröedigaeth, ni chewch eich cysylltu'n bennaf â threfn, sefydliad, mudiad, credo na rheolau gweithredu – fe'ch cysylltir â Pherson. Eilbeth yw popeth arall.

E. Stanley Jones

197. Angen am Grist

Mae arnaf angen mawr am Grist; mae gennyf Grist mawr ar gyfer fy angen. Mewn llawer ffordd, mae'n haws credu mewn Iesu nad yw wedi ei atgyfodi. Mae'r Pasg yn ei wneud yn beryglus. Oherwydd y Pasg, mae'n rhaid i mi wrando ar ei honiadau rhyfeddol, ac ni allaf dderbyn na gwrthod ei ddywediadau fel y mynnaf. Ac yn fwy na dim, mae'r Pasg yn golygu ei fod yn rhydd, allan fan'na rywle.

Philip Yancey

198. Daeth Crist i'r byd

Y mae fy holl ddiwinyddiaeth yn berwi lawr i hyn – daeth Crist Iesu i'r byd i gadw pechaduriaid.

Archibald Arnold

199. Gwerth Crist

Nid oes gwerth i Grist o gwbl os nad yw ei werth uwchlaw'r cwbl.

Awstin Sant

200. Testament Newydd

Y mae'r dyn sy'n gallu darllen y Testament Newydd heb weld Crist yn honni bod yn fwy na'r dyn sy'n gallu edrych i'r awyr, ganol dydd digwmwl, heb weld yr haul.

William E. Biederwolf

201. Teyrngarwch llwyr

Y mae Iesu Grist yn mynnu teyrngarwch llwyr, yn fwy felly nag unrhyw unben a fu fyw erioed. Y gwahaniaeth yw, y mae ganddo'r hawl iddo.

Vance Havner

202. Cadw'r parti'n fyw

Nid sadydd yw Duw, sy'n gobeithio fod ei greaduriaid yn ddiflas. Yr oedd Iesu mor hoff o wledda fel bod ei elynion yn ei alw'n ddyn glwth ac yn feddwyn. Trodd Iesu'r dŵr yn win er mwyn cadw'r parti'n fyw.

Leland Ryken

203. Goleuni'r Byd

Y mae carolau yn ein cyffroi. Y mae'r geiriau sanctaidd yn ein hysbrydoli. Y mae'r llewyrch a gwyd o'r preseb yn ein cynhesu. Y mae ychydig grefydd dros y Nadolig yn iawn. Ond y mae'r llewyrch yn y preseb yn codi o Oleuni'r Byd. Y mae'n datgelu drygioni, ac un ai'n ei waredu neu'n ei ddinistrio. Mae'r baban yn y preseb yn llawer iawn mwy na gwrthrych ocheneidiau sentimental. Mab Duw yw hwn, a rhaid ei dderbyn yn lywodraethwr – neu ei wynebu yn elyn.

John G. Stackhouse

204. Arglwydd a Gwaredwr

Ni all Iesu fod yn Waredwr heb iddo'n gyntaf fod yn Arglwydd.

Hugh C. Burr

205. Un Mab

Roedd gan Dduw un Mab heb bechod; ond nid oes ganddo un mab heb demtasiwn.

Charles H. Spurgeon

206. Cyrraedd at Iesu

Does dim ots pa mor bell yn ôl yr awn i geisio gwreiddiau stori'r Efengyl, does dim ots sut y dosbarthwn ddeunydd yr Efengyl, chyrhaeddwn ni fyth at Iesu nad yw'n oruwchnaturiol.

F. F. Bruce

207. Ymerodraeth cariad

Sefydlodd Alecsander, Cesar, Siarlymaen a minnau ymerodraethau; ond ar beth y sefydlwyd creadigaethau ein hathrylith? Ar rym. Sefydlodd Iesu Grist ei ymerodraeth ar gariad; a'r awr hon byddai miliynau o ddynion yn barod i farw drosto.

Napoleon Bonaparte

208. Y Deyrnas

Y Deyrnas yw bod ymhlith eich gelynion. Nid yw'r sawl nad yw'n barod i ddioddef hyn yn dymuno bod o Deyrnas Crist; y mae'n dymuno bod ymhlith cyfeillion, eistedd yng nghanol y lili a'r rhosynnau, nid gyda'r bobl ddrwg ond gyda'r bobl dduwiol. O chwi gablwyr a bradychwyr Crist! Pe byddai Crist wedi gwneud yr hyn yr ydych chwi yn ei wneud, pwy ar wyneb daear fyddai wedi cael ei achub?

Martin Luther

209. Coeden Bywyd

Celfyddyd yw Coeden Bywyd. Gwyddoniaeth yw Coeden Angau. Duw yw Iesu.

William Blake

210. Cwyno

Roedd Crist yn barod i ddioddef a chael ei ddirmygu, ac a wyt ti'n meiddio cwyno am rywbeth?

Thomas á Kempis

211. Newid llawer

Mae llawer o athrawon y byd wedi ceisio egluro popeth; nid ydynt wedi newid ond ychydig, neu ddim o gwbl. Ychydig a eglurodd Iesu; ond newidiodd lawer.

E. Stanley Jones

212. Un Mab

Un Mab oedd gan Dduw, ac yr oedd hwnnw'n genhadwr ac yn feddyg.

David Livingstone

213. Crist cariadlawn

Mae angen i lawer yn yr Eglwys, ac allan yn y byd, ddysgu nad credo na defod yw Cristnogaeth, ond bywyd wedi ei gysylltu mewn ffordd fywiol â Christ cariadlawn.

Josiah Strong

214. Marw dros ddynion

Nid dros gymdeithasau na gwladwriaethau y bu farw Crist, ond dros ddynion.

C. S. Lewis

215. Clywed Crist

Pe bawn yn medru clywed Crist yn gweddïo drosof yn yr ystafell nesaf, nid ofnwn filiwn o elynion. Eto, nid yw pellter yn gwneud gwahaniaeth. Y mae'n gweddïo drosof.

Robert M. McCheyne

216. Rheolaeth dda

Pan ddaeth Crist i'm bywyd, deuthum i drefn fel llong o dan reolaeth dda.

Robert Louis Stevenson

217. Unwaith yn unig

Unwaith yn unig y dewisodd Duw bregethwr cwbl ddibechod.

Alexander Whyte

218. Cario baich

Y mae pen trymaf y groes yn gorffwys bob amser ar Ei ysgwyddau. Os yw'n galw arnom i gario baich, bydd Ef yn ei gario hefyd.

Charles H. Spurgeon

219. Cariad Duw

Pan ystyriwn gariad Duw yng Nghrist, yr ydym fel un yn nesáu at y cefnfor; y mae'n taflu golwg ar yr wyneb, ond ni all ddirnad y dyfnder.

Robert C. Chapman

220. Dywediadau doeth

Yr wyf wedi darllen gan Plato a Cicero ddywediadau doeth a phrydferth; ond ni ddarllenais gan yr un ohonynt: 'Deuwch ataf i bawb sy'n flinderog ac yn llwythog'.

Awstin Sant

221. Pregethu Crist

Pregethu Crist yw'r fflangell sy'n chwipio'r diafol. Pregethu Crist yw'r daranfollt, y sain sy'n peri i uffern grynu.

Charles H. Spurgeon

222. Cynnig ei nerth

Os yw Iesu'n aml yn gwneud cynigion heb osod gofynion, yn anaml y bydd yn gosod gofynion heb gynigion. Y mae'n cynnig Ei nerth i'n galluogi i gwrdd â'i ofynion.

John Stott

223. Beth?

A dywedodd Iesu wrthynt, 'Pwy ydych chi'n dweud wyf fi?' Atebasant, 'Ti yw datguddiad eschatolegol gwraidd ein bodolaeth, sylfaen ontolegol cyd-destun ein hunaniaeth'. Ac atebodd Iesu, 'Beth?'

224. Gwallgofddyn

Ni fyddai dyn cyffredin a ddywedodd y pethau a ddywedodd Iesu yn athro moesol mawr. Byddai'n wallgofddyn – ar wastad dyn sy'n honni mai ŵy wedi ei botsio ydyw – neu fe fyddai'n ddiafol Uffern. Rhaid i chi ddewis. Un ai fod y dyn hwn yn Fab Duw neu ei fod yn ynfytyn neu lawer iawn gwaeth. Gallwch roi taw arno fel ffŵl; gallwch boeri arno a'i ddifa fel cythraul; neu gallwch gwympo wrth ei draed a'i gydnabod yn Arglwydd a Duw. Ond peidiwn ag awgrymu'r ffwlbri nawddoglyd amdano yn athro mawr. Ni roddodd y dewis hwnnw i ni. Nid dyna ei fwriad.

C. S. Lewis

225. Fy nghyfiawnder

Arglwydd Iesu, ti yw fy nghyfiawnder, a minnau dy bechod. Cymeraist arnat dy hun yr hyn sy'n eiddo i mi, a rhoddaist i mi'r hyn sy'n eiddot ti. Daethost yr hyn nad oeddet er mwyn i mi ddod yr hyn nad oeddwn i.

Martin Luther

226. Rhosyn yn blodeuo

Ni chewch Iesu'n fwy gwerthfawr na mewn byd a drodd yn un diffeithwch anferthol. Yno y mae fel rhosyn yn blodeuo yng nghanol yr anghyfanedd-dra, a chraig yn codi uwchlaw'r storm.

Robert Murray McCheyne

227. Oes lle i Iesu?

Y mae pawb ohonom yn lletywr sy'n penderfynu a oes lle i Iesu.

Neal Maxwell

228. Adnabod

Nid ydym yn adnabod Duw ond trwy Iesu Grist. Nid ydym hyd yn oed yn ein hadnabod ein hunain ond trwy Iesu Grist.

Blaise Pascal

229. Canolbwynt popeth

Iesu Grist yw canolbwynt popeth a gwrthrych popeth, ac nid yw'r un nad yw yn ei adnabod Ef yn gwybod dim am natur na dim amdano'i hun.

Blaise Pascal

230. Anghofio Iesu

Onid ydych chwi'n eich cael eich hunan yn anghofio Iesu? Daw rhyw greadur i gipio'ch calon, ac fe ddiystyrwch yr hwn y dylai eich bryd fod arno. Daw rhyw fusnes daearol heibio a chymryd eich holl sylw, pan ddylai eich llygaid fod wedi ei hoelio ar y groes. Dwndwr daear sy'n dwyn y galon oddi wrth Grist. O! fy nghyfeillion, onid ydyw'n wirionedd trist ein bod yn medru cofio unrhyw beth ond Crist, ac anghofio Crist yn gynt nag un peth arall? Tra bo'r cof yn medru cynnal chwynnyn gwenwynig, y mae'n caniatáu i Rosyn Saron wywo.

Charles H. Spurgeon

231. Iesu Grist yn Dduw

Os yw Iesu Grist yn Dduw ac wedi marw drosof i, yna does yr un aberth yn rhy fawr i minnau ei chyflawni drosto Ef.

C. T. Studd

232. Cynorthwyo

Os nad yw Iesu Grist yn wir Dduw, sut all ein cynorthwyo?
Os nad yw'n wir ddyn, sut all ein cynorthwyo?

Dietrich Bonhoeffer

233. Esgyniad Crist

Esgyniad Crist yw ei ryddhad oddi wrth gyfyngiadau gofod ac amser.
Nid yw'n cynrychioli ei ymadawiad o'r ddaear ond ei bresenoldeb
parhaol ym mhob man ar y ddaear.

William Temple

234. Penderfynu ar Grist

Cyn dod i gasgliadau am y gwyrthiau a briodolir i Grist, rhaid yn gyntaf
ddod i benderfyniad amdano.

F. F. Bruce

235. Awdurdod gwas

Y mae yma (yn Iesu) rym, ond nid oes trais. Y mae yma awdurdod,
ond awdurdod un a gymerodd arno'i hun agwedd gwas.

Stephen Neill

236. Moeseg Iesu

Moeseg Iesu yw ffrwyth perffaith crefydd broffwydol.

Reinhold Niebuhr

237. Duw yn gyfan

Nid yw Iesu'n bersonol yn honni bod yn Dduw, ac eto y mae bob amser
yn honni dod â Duw yn gyfan.

John A. T. Robinson

238. Yn Ddyn

Fei'i gwnaethpwyd yn Ddyn er mwyn inni gael ein gwneud yn Dduw.

Athanasiws

239. Dyn a Duw

Ef yw'r hyn a olyga Duw wrth ddyn.
Ef yw'r hyn a olyga dyn wrth Dduw.

J. S.Whale

240. Iesu'n unig

Iesu'n unig all gynnig ei hunan fel yr eglureb ddigonol o'i athrawiaeth ei hun.

Hensley Henson

241. Rhosyn Saron

Rhosyn Saron yw ei enw,
gwyn a gwridog, teg o bryd;
ar ddeng mil y mae'n rhagori
o wrthrychau penna'r byd:
ffrind pechadur
dyma ei beilot ar y môr.

Ann Griffiths

242. Ti yw...

Ti yw ein hanadl, Ti yw ehedeg
Ein hiraeth i'w wybren ddofn.
Ti yw'r dwfr sy'n rhedeg
Rhag diffeithwch pryder ac ofn.
Ti yw'r halen i'n puro.
Ti yw'r deifwynt i'r rhwysg amdanom.
Ti yw'r teithiwr sy'n curo.
Ti yw'r tywysog sy'n aros ynom.

Waldo Williams

243. Iesu yn fyw

Y mae Iesu Grist yn fyw ac yn gwneud pethau.

Michael Green

244. Ymholiad a datguddiad

Wedi darllen athrawiaethau Plato, Socrates ac Aristotlys teimlwn mai'r gwahaniaeth penodol rhwng eu geiriau hwy a geiriau Crist yw'r gwahaniaeth rhwng ymholiad a datguddiad.

Joseph Parker

245. Cymdeithas newydd

O ganlyniad i'w rhan yn nioddefaint ein pobl, tra ar yr un pryd yn ceisio dyfalbarhau drwy eu brwydrau eu hunain, y mae merched yn darganfod delwedd newydd o Iesu – Iesu sy'n frawd ac yn chwaer ac yn un â hwynt ar eu taith i ryddid, taith y bobl, a'u taith eu hunain, Iesu sy'n *companero* (cyd chwyldroadwr) wrth adeiladu cymdeithas newydd.

Luz Beatriz Arellano

246. Tydi a wnaeth y wyrth

Tydi a wnaeth y wyrth, O Grist, Fab Duw,
tydi a roddaist imi flas ar fyw:
fe gydiaist ynof drwy dy Ysbryd Glân,
ni allaf tra bwyf byw ond canu'r gân;
'rwyf heddiw'n gweld yr harddwch sy'n parhau,
'rwy'n teimlo'r ddwyfol ias sy'n bywiocáu;
mae'r Halelwia yn fy enaid i,
a rhoddaf, Iesu, fy mawrhad i ti.

Tydi yw haul fy nydd, O Grist y groes,
yr wyt yn harddu holl orwelion f'oes;
lle'r oedd cysgodion nos mae llif y wawr,
lle'r oeddwn gynt yn ddall 'rwy'n gweld yn awr;
mae golau imi yn dy Berson hael,
penllanw fy ngorfoledd yw dy gael;
mae'r Halelwia yn fy enaid i,
a rhoddaf, Iesu, fy mawrhad i ti.

Tydi sy'n haeddu'r clod, ddihalog Un
mae ystyr bywyd ynot ti dy hun;
yr wyt yn llanw'r gwacter drwy dy air,
daw'r pell yn agos ynot, O Fab Mair;
mae melodïau'r cread er dy fwyn,
mi welaf dy ogoniant ar bob twyn;
mae'r Halelwia yn fy enaid i,
a rhoddaf, Iesu, fy mawrhad i ti.

W. Rhys Nicholas

Nadolig

247. Fy mab wyt ti
Adroddaf am ddatganiad yr Arglwydd. Dywedodd wrthyf, "Fy mab wyt ti, myfi a'th genhedlodd di heddiw; gofyn, a rhoddaf iti'r cenhedloedd yn etifeddiaeth, ac eithafoedd daear yn eiddo iti".

Salm 2:7–8

248. Bachgen a aned
Canys bachgen a aned i ni, mab a roed i ni, a bydd yr awdurdod ar ei ysgwydd. Fe'i gelwir, "Cynghorwr rhyfeddol, Duw cadarn, Tad bythol, Tywysog heddychlon".

Eseia 9:6

249. Blaguryn o gyff Jesse
O'r cyff a adewir i Jesse fe ddaw blaguryn, ac fe dyf cangen o'i wraidd ef.

Eseia 11:1

250. Duw yn anfon mab
Yr hyn oedd y tu hwnt i allu'r Gyfraith, yn ei gwendid dan gyfyngiadau'r cnawd, y mae Duw wedi ei gyflawni. Wrth anfon ei Fab ei hun, mewn ffurf debyg i'n cnawd pechadurus ni, i ddelio â phechod, y mae wedi collfarnu pechod yn y cnawd.

Rhufeiniaid 8:3

251. Caethwas
Ond fe'i gwacaodd ei hun, gan gymryd ffurf caethwas a dyfod ar wedd ddynol. O'i gael ar ddull dyn, fe'i darostyngodd ei hun, gan fod yn ufudd hyd angau, ie, angau ar groes.

Philipiaid 2:7–8

252. Y cyntafanedig
A thrachefn, pan yw'n dod â'i gyntafanedig i mewn i'r byd, y mae'n dweud: "A bydded i holl angylion Duw ei addoli."

Hebreaid 1:6

253. Immanuel

Am hynny, y mae'r Arglwydd ei hun yn rhoi arwydd i chwi: Wele ferch ifanc yn feichiog, a phan esgor ar fab, fe'i geilw'n Immanuel.

Eseia 7:14

254. Blaguryn cyfiawn

"Wele'r dyddiau yn dod," medd yr Arglwydd, "y cyfodaf i Ddafydd Flaguryn cyfiawn, brenin a fydd yn llywodraethu'n ddoeth, yn gwneud barn a chyfiawnder yn y tir."

Jeremeia 23:5

255. Llywodraethwr Israel

Ond ti, Bethlehem Effrata, sy'n fechan i fod ymhlith llwythau Jwda, ohonot ti y daw allan i mi un i fod yn llywodraethwr yn Israel, a'i darddiad yn y gorffennol, mewn dyddiau gynt. Felly fe'u gedy hyd amser esgor yr un feichiog, ac yna fe ddychwel y rhai fydd yn weddill yn Israel at eu tylwyth.

Micha 5:2–3

256. Geni Iesu

Wedi i Iesu gael ei eni ym Methlehem Jwdea yn nyddiau'r Brenin Herod, daeth seryddion o'r dwyrain i Jerwsalem a holi, "Ble mae'r hwn a anwyd yn frenin yr Iddewon? Oherwydd gwelsom ei seren ef ar ei chyfodiad, a daethom i'w addoli." A phan glywodd y Brenin Herod hyn, cythruddwyd ef, a Jerwsalem i gyd gydag ef. Galwodd ynghyd yr holl brif offeiriaid ac ysgrifenyddion y bobl, a holi ganddynt ble yr oedd y Meseia i gael ei eni. Eu hateb oedd, "Ym Methlehem Jwdea, oherwydd felly yr ysgrifennwyd gan y proffwyd: 'A thithau Bethlehem yng ngwlad Jwda, nid y lleiaf wyt ti o lawer ymysg tywysogion Jwda, canys ohonot ti y daw allan arweinydd a fydd yn fugail ar fy mhobl Israel.'"

Mathew 2:1–6

257. Gair yn gnawd

A daeth y Gair yn gnawd a phreswylio yn ein plith, yn llawn gras a gwirionedd; gwelsom ei ogoniant ef, ei ogoniant fel unig Fab yn dod oddi wrth y Tad.

Ioan 1:14

258. Delw'r Duw anweledig

Hwn yw delw'r Duw anweledig, cyntafanedig yr holl greadigaeth.

Colosiaid 1:15

259. A hwy a gawsant y Dyn Bach

Ni wyddom am ddim rhyfeddach, - Crëwr
    Yn crio mewn cadach,
    Yn faban heb ei wannach,
    Duw yn y byd fel Dyn Bach.

J. Eirian Davies

260. Seren

Er gweld seren eleni – yn arwydd
    Uwch sgwâr Piccadilly
Gofalwn na welwn ni
Y dyn a gwsg o dani.

Gerallt Lloyd Owen

261.Y Geni Gwyrthiol

Ganwyd y Mab o gnawd Mair – un nos oer
    Tan y seren ddisglair,
    Yn wyrth o Dduw o'r groth ddiwair
    Yn y gwellt, Hwn oedd y gair.

James Nicholas

262. Adeg Nadolig Ydyw

Adeg Nadolig ydyw
A'r Ŵyl iawn i garol yw,
Gŵyl i roi i'r gwael a'r hen
Galennig dan gelynnen.

Daeth un bach i deithio'r byd
I anferth nos yr henfyd;
Noethlanc yn ninas Bethlem,
Uchel Iôr dan y chwa lem!

Daeth golau doeth i galon
Hen deulu'r llawr yr awr hon, -
Ei ddawn Ef chwalodd y nos,
A'i nawdd roes i'r anniddos.

O! na ddôi'r seren heno
I'n dwyn at yr isel do,
Ei dywyn Ef i'n dwyn ni
At ogoniant y geni!

Diddiwedd yw rhyfeddod
Duw yn glai dan y gwawl ôd;
Adeg Nadolig ydyw,
A'r Ŵyl iawn i garol yw.

Gwilym R. Jones

263. Dolig gwag

Wedi'r holl win a'r cinio
Dolig gwag fu'n ei dwlc o.

Peter Hughes Griffiths

264. Yr anrheg gorau

Nid dan y goeden Nadolig y cewch yr anrheg orau. Y mae'n rhy werthfawr i'w chadw yn unlle arall ond y galon.

Anhysbys

265. Ystyr y Nadolig

Collodd y Nadolig ei ystyr oherwydd i ni golli'r ymdeimlad o ddisgwyliad. Ni allwn baratoi ar gyfer achlysur. Rhaid i ni baratoi am brofiad.

Handel Brown

266. Duw yn rhoi

Y mae masnacheiddio wedi cymylu ystyr y Nadolig. Daeth yr hyn sydd gan ddyn i'w werthu yn bwysicach na'r hyn y mae Duw wedi'i roi.

Anhysbys

267. Rhoi adeg y Nadolig

Gofynnwch ddau gwestiwn i'ch plant y Nadolig hwn. Yn gyntaf: 'Beth ydych chi am ei roi i eraill eleni?' Yn ail: 'Beth garech chi gael eleni?' Mae'r cyntaf yn meithrin haelioni'r galon. Heb ei dymheru gan y cyntaf, gall yr ail fagu hunanoldeb.

Anhysbys

268. Lle i Grist

Nid oedd gŵr y llety'n elyniaethus, ond yr oedd ei westy a'i ddwylo a'i feddwl yn llawn. Dyma'r ateb y mae miliynau o bobl yn ei roi heddiw. Fel gŵr y llety, nid oes ganddynt le i Grist. Mae holl westai'r galon yn llawn o ddiddordebau eraill. Nid ymateb anghrediniol yw eu hymateb. Nid herio y maent. Maent wedi eu hargyhoeddi eu hunain y gallant fynd ymlaen yn ddigon da heb Gristnogaeth

Billy Graham

269. Yr hyn yw Ef

Daeth ef i fod yr hyn ydym ni, er mwyn ein gwneud ni'r hyn ydyw ef.

Athanasiws

270. Math newydd o ddyn

Daeth Duw yn ddyn er mwyn troi creaduriaid yn feibion: nid i gynhyrchu gwell dynion o'r math a gafwyd, ond cynhyrchu math newydd o ddyn.

C. S. Lewis

271. Dirgelwch Crist

Y mae dirgelwch Crist, a'i suddodd ei hunan i'n cnawd ni, y tu hwnt i bob deall.

Martin Luther

272. Meibion Duw

Daeth Mab Duw yn ddyn i alluogi dynion i ddod yn feibion Duw

C. S. Lewis

273. Yr Ymgnawdoliad

Cyn belled â bod yr Ymgnawdoliad, credaf yn bendant ynddo. Credaf fod Duw wedi ymostwng i fod yn ddyn er mwyn i ninnau fedru ymgyrraedd ato, a bod y ddrama sy'n ymgorffori'r Ymgnawdoliad, y ddrama a ddisgrifir yn y Credo, wedi digwydd.

Malcolm Muggeridge

274. Iachawdwriaeth

Ni ystyriwyd iachawdwriaeth fel rhywbeth y tu allan i hanes fel yn y meddwl Groegaidd. Mae a wnelo bob amser â dyfodiad Duw at ddyn mewn hanes. Nid dyn sy'n esgyn at Dduw; Duw sy'n ymostwng at ddyn.

George Eldon Ladd

275. Gwledd y Tad

Gan nad ydym eto'n barod ar gyfer gwledd y Tad, gadewch i ni ymgyfarwyddo â phreseb yr Arglwydd Iesu Grist.

Awstin Sant

276. Urddas

Cychwynnodd urddas morwyndod gyda mam ein Harglwydd.

Awstin Sant

277. Y Plentyn Iesu

Ni ddylem geisio'r plentyn Iesu yn ffigyrau prydferth ein Preseb Nadolig. Rhaid ei geisio ymhlith y plant llwglyd a aeth i'w gwlâu yn y nos heb ddim i'w fwyta, ac ymhlith y bechgyn papurau newydd tlawd a fydd yn cysgu wedi'u gorchuddio gan bapurau newydd wrth ddrysau ein siopau.

Óscar Romero

Dioddefaint Crist a'r Pasg

278. Hosanna

Pan ddaethant yn agos i Jerwsalem, at Bethffage a Bethania, ger Mynydd yr Olewydd, anfonodd ddau o'i ddisgyblion, ac meddai wrthynt, "Ewch i'r pentref sydd gyferbyn â chwi, ac yn syth wrth ichwi fynd i mewn iddo, cewch ebol wedi ei rwymo, un nad oes neb wedi bod ar ei gefn erioed. Gollyngwch ef a dewch ag ef yma. Ac os dywed rhywun wrthych, 'Pam yr ydych yn gwneud hyn?' dywedwch, 'Y mae ar y Meistr ei angen, a bydd yn ei anfon yn ôl yma yn union deg.' " Aethant ymaith a chawsant ebol wedi ei rwymo wrth ddrws y tu allan ar yr heol, a gollyngasant ef. Ac meddai rhai o'r sawl oedd yn sefyll yno wrthynt, "Beth ydych yn ei wneud, yn gollwng yr ebol?" Atebasant hwythau fel yr oedd Iesu wedi dweud, a gadawyd iddynt fynd. Daethant â'r ebol at Iesu a bwrw eu mentyll arno, ac eisteddodd yntau ar ei gefn. Taenodd llawer eu mentyll ar y ffordd, ac eraill ganghennau deiliog yr oeddent wedi eu torri o'r meysydd. Ac yr oedd y rhai ar y blaen a'r rhai o'r tu ôl yn gweiddi: "Hosanna! Bendigedig yw'r un sy'n dod yn enw'r Arglwydd. Bendigedig yw'r deyrnas sy'n dod, teyrnas ein tad Dafydd; Hosanna yn y goruchaf!" Aeth i mewn i Jerwsalem ac i'r deml, ac wedi edrych o'i gwmpas ar bopeth, gan ei bod eisoes yn hwyr, aeth allan i Fethania gyda'r Deuddeg.

Marc 11:1–11

279. Brenin Israel

Trannoeth, clywodd y dyrfa fawr a oedd wedi dod i'r ŵyl fod Iesu'n dod i Jerwsalem. Cymerasant ganghennau o'r palmwydd ac aethant allan i'w gyfarfod, gan weiddi: "Hosanna! Bendigedig yw'r un sy'n dod yn enw'r Arglwydd, yn Frenin Israel." Cafodd Iesu hyd i asyn ifanc ac eistedd arno, fel y mae'n ysgrifenedig: "Paid ag ofni, ferch Seion; wele dy frenin yn dod, yn eistedd ar ebol asen." Ar y cyntaf ni ddeallodd y disgyblion ystyr y pethau hyn, ond wedi i Iesu gael ei ogoneddu, cofiasant fod y pethau hyn yn ysgrifenedig amdano, ac iddynt eu gwneud iddo.

Ioan 12:12–16

280. Hosanna i Fab Dafydd

Pan ddaethant yn agos i Jerwsalem a chyrraedd Bethffage a Mynydd yr Olewydd, anfonodd Iesu ddau ddisgybl gan ddweud wrthynt, "Ewch i'r pentref sydd gyferbyn â chwi, ac yn syth fe gewch asen wedi ei rhwymo, ac ebol gyda hi. Gollyngwch hwy a dewch â hwy ataf. Ac os dywed rhywun rywbeth wrthych, dywedwch, 'Y mae ar y Meistr eu hangen'; a bydd yn eu rhoi ar unwaith." Digwyddodd hyn fel y cyflawnid y gair a lefarwyd trwy'r proffwyd: "Dywedwch wrth ferch Seion, 'Wele dy frenin yn dod atat, yn ostyngedig ac yn marchogaeth ar asyn, ac ar ebol, llwdn anifail gwaith.' " Aeth y disgyblion a gwneud fel y gorchmynnodd Iesu iddynt; daethant â'r asen a'r ebol ato, a rhoesant eu mentyll ar eu cefn, ac eisteddodd Iesu arnynt. Taenodd tyrfa fawr iawn eu mentyll ar y ffordd, ac yr oedd eraill yn torri canghennau o'r coed ac yn eu taenu ar y ffordd. Ac yr oedd y tyrfaoedd ar y blaen iddo a'r rhai o'r tu ôl yn gweiddi: "Hosanna i Fab Dafydd! Bendigedig yw'r un sy'n dod yn enw'r Arglwydd. Hosanna yn y goruchaf!"

Mathew 21:1–9

281. Y Swper Olaf

Pan ddaeth yr awr, cymerodd ei le wrth y bwrdd, a'r apostolion gydag ef. Meddai wrthynt, "Mor daer y bûm yn dyheu am gael bwyta gwledd y Pasg hwn gyda chwi cyn imi ddioddef! Oherwydd rwy'n dweud wrthych na fwytâf hi byth hyd nes y cyflawnir hi yn nheyrnas Dduw." Derbyniodd gwpan, ac wedi diolch meddai, "Cymerwch hwn a rhannwch ef ymhlith eich gilydd. Oherwydd rwy'n dweud wrthych nad yfaf o hyn allan o ffrwyth y winwydden hyd nes y daw teyrnas Dduw." Cymerodd fara, ac wedi diolch fe'i torrodd a'i roi iddynt gan ddweud, "Hwn yw fy nghorff, sy'n cael ei roi er eich mwyn chwi; gwnewch hyn er cof amdanaf." Yr un modd hefyd fe gymerodd y cwpan ar ôl swper gan ddweud, "Y cwpan hwn yw'r cyfamod newydd yn fy ngwaed i, sy'n cael ei dywallt er eich mwyn chwi. Ond dyma law fy mradychwr gyda'm llaw i ar y bwrdd. Oherwydd y mae Mab y Dyn yn wir yn mynd ymaith, yn ôl yr hyn sydd wedi ei bennu, ond gwae'r dyn hwnnw y bradychir ef ganddo!" A dechreusant ofyn ymhlith ei gilydd prun ohonynt oedd yr un oedd am wneud hynny.

Luc 22:14–23

282. Y Pasg

Ar drothwy gŵyl y Pasg, yr oedd Iesu'n gwybod fod ei awr wedi dod, iddo ymadael â'r byd hwn a mynd at y Tad. Yr oedd wedi caru'r rhai oedd yn eiddo iddo yn y byd, ac fe'u carodd hyd yr eithaf. Yn ystod swper, pan oedd y diafol eisoes wedi gosod yng nghalon Jwdas fab Simon Iscariot y bwriad i'w fradychu ef, dyma Iesu, ac yntau'n gwybod bod y Tad wedi rhoi pob peth yn ei ddwylo ef, a'i fod wedi dod oddi wrth Dduw a'i fod yn mynd at Dduw, yn codi o'r swper ac yn rhoi ei wisg o'r neilltu, yn cymryd tywel ac yn ei glymu am ei ganol. Yna tywalltodd ddŵr i'r badell, a dechreuodd olchi traed y disgyblion, a'u sychu â'r tywel oedd am ei ganol. Daeth at Simon Pedr yn ei dro, ac meddai ef wrtho, "Arglwydd, a wyt ti am olchi fy nhraed i?" Atebodd Iesu ef: "Ni wyddost ti ar hyn o bryd beth yr wyf fi am ei wneud, ond fe ddoi i wybod ar ôl hyn." Meddai Pedr wrtho, "Ni chei di olchi fy nhraed i byth." Atebodd Iesu ef, "Os na chaf dy olchi di, nid oes lle iti gyda mi." "Arglwydd," meddai Simon Pedr wrtho, "nid fy nhraed yn unig, ond golch fy nwylo a'm pen hefyd." Dywedodd Iesu wrtho, "Y mae'r sawl sydd wedi ymolchi drosto yn lân i gyd, ac nid oes arno angen golchi dim ond ei draed. Ac yr ydych chwi yn lân, ond nid pawb ohonoch." Oherwydd gwyddai pwy oedd am ei fradychu. Dyna pam y dywedodd, "Nid yw pawb ohonoch yn lân."

Ioan 13:1–11

283. Cymerwch, bwytewch

Ac wrth iddynt fwyta, cymerodd Iesu fara, ac wedi bendithio fe'i torrodd a'i roi i'r disgyblion, a dywedodd, "Cymerwch, bwytewch; hwn yw fy nghorff." A chymerodd gwpan, ac wedi diolch fe'i rhoddodd iddynt gan ddweud, "Yfwch ohono, bawb, oherwydd hwn yw fy ngwaed i, gwaed y cyfamod, a dywelltir dros lawer er maddeuant pechodau. Rwy'n dweud wrthych nad yfaf o hyn allan o hwn, ffrwyth y winwydden, hyd y dydd hwnnw pan yfaf ef yn newydd gyda chwi yn nheyrnas fy Nhad." Ac wedi iddynt ganu emyn aethant allan i Fynydd yr Olewydd. Yna dywedodd Iesu wrthynt, "Fe ddaw cwymp i bob un ohonoch chwi o'm hachos i heno, oherwydd y mae'n ysgrifenedig: 'Trawaf y bugail, a gwasgerir defaid y praidd.' Ond wedi i mi gael fy nghyfodi, af o'ch blaen chwi i Galilea." Atebodd Pedr ef, "Er iddynt gwympo bob un o'th achos di, ni chwympaf fi byth." Meddai Iesu wrtho, "Yn wir, rwy'n dweud wrthyt y bydd i ti heno, cyn i'r ceiliog ganu, fy ngwadu i deirgwaith." "Hyd yn oed petai'n rhaid imi farw gyda thi," meddai Pedr wrtho, "ni'th wadaf byth." Ac felly y dywedodd y disgyblion i gyd. Yna daeth Iesu gyda hwy i le a elwir Gethsemane, ac meddai wrth y disgyblion, "Eisteddwch yma tra byddaf fi'n mynd fan draw i weddïo."

Mathew 26:26–36

284. Lle Penglog

Wrth fynd allan daethant ar draws dyn o Cyrene o'r enw Simon, a gorfodi hwnnw i gario ei groes ef. Daethant i le a elwir Golgotha, hynny yw, "Lle Penglog", ac yno rhoesant iddo i'w yfed win wedi ei gymysgu â bustl, ond ar ôl iddo ei brofi, gwrthododd ei yfed. Croeshoeliasant ef, ac yna rhanasant ei ddillad, gan fwrw coelbren, ac eisteddasant yno i'w wylio. Uwch ei ben gosodwyd y cyhuddiad yn ei erbyn mewn ysgrifen: "Hwn yw Iesu, Brenin yr Iddewon." Yna croeshoeliwyd gydag ef ddau leidr, un ar y dde ac un ar y chwith. Yr oedd y rhai oedd yn mynd heibio yn ei gablu ef, yn ysgwyd eu pennau ac yn dweud, "Ti sydd am fwrw'r deml i lawr a'i hadeiladu mewn tridiau, achub dy hun, os Mab Duw wyt ti, a disgyn oddi ar y groes." A'r un modd yr oedd y prif offeiriaid hefyd, ynghyd â'r ysgrifenyddion a'r henuriaid, yn ei watwar ac yn dweud, "Fe achubodd eraill; ni all ei achub ei hun. Brenin Israel yn wir! Disgynned yn awr oddi ar y groes ac fe gredwn ynddo. Ymddiriedodd yn Nuw; boed i Dduw ei waredu yn awr, os yw â'i fryd arno, oherwydd dywedodd, 'Mab Duw ydwyf.' " Yr un modd, yr oedd hyd yn oed y lladron a groeshoeliwyd gydag ef yn ei wawdio. O ganol dydd, daeth tywyllwch dros yr holl wlad hyd dri o'r gloch y prynhawn. A thua thri o'r gloch gwaeddodd Iesu â llef uchel, "Eli, Eli, lema sabachthani", hynny yw, "Fy Nuw, fy Nuw, pam yr wyt wedi fy ngadael?" O glywed hyn, meddai rhai o'r sawl oedd yn sefyll yno, "Y mae hwn yn galw ar Elias." Ac ar unwaith fe redodd un ohonynt a chymryd ysbwng a'i lenwi â gwin sur a'i ddodi ar flaen gwialen a'i gynnig iddo i'w yfed. Ond yr oedd y lleill yn dweud, "Gadewch inni weld a ddaw Elias i'w achub." Gwaeddodd Iesu drachefn â llef uchel, a bu farw. A dyma len y deml yn cael ei rhwygo yn ddwy o'r pen i'r gwaelod. Siglwyd y ddaear a holltwyd y creigiau; agorwyd y beddau a chyfodwyd cyrff llawer o'r saint oedd wedi huno. Ac ar ôl atgyfodiad Iesu, daethant allan o'u beddau a mynd i mewn i'r ddinas sanctaidd, ac fe'u gwelwyd gan lawer. Ond pan welodd y canwriad, a'r rhai oedd gydag ef yn gwylio Iesu, y daeargryn a'r cwbl oedd yn digwydd, daeth ofn mawr arnynt a dywedasant, "Yn wir, Mab Duw oedd hwn."

Mathew 27:32–54

285. Croeshoelio Iesu

Naw o'r gloch y bore oedd hi pan groeshoeliasant ef. Ac yr oedd arysgrif y cyhuddiad yn ei erbyn yn dweud: "Brenin yr Iddewon". A chydag ef croeshoeliasant ddau leidr, un ar y dde ac un ar y chwith iddo. [A chyflawnwyd yr Ysgrythur sy'n dweud, "A chyfrifwyd ef gyda'r troseddwyr".] Yr oedd y rhai oedd yn mynd heibio yn ei gablu ef, gan ysgwyd eu pennau a dweud, "Oho, ti sydd am fwrw'r deml i lawr a'i hadeiladu mewn tridiau, disgyn oddi ar y groes ac achub dy hun". A'r un modd yr oedd y prif offeiriaid hefyd, ynghyd â'r ysgrifenyddion, yn ei watwar wrth ei gilydd, ac yn dweud, "Fe achubodd eraill; ni all ei achub ei hun. Disgynned y Meseia, Brenin Israel, yn awr oddi ar y groes, er mwyn inni weld a chredu." Yr oedd hyd yn oed y rhai a groeshoeliwyd gydag ef yn ei wawdio. A phan ddaeth yn hanner dydd, bu tywyllwch dros yr holl wlad hyd dri o'r gloch y prynhawn. Ac am dri o'r gloch gwaeddodd Iesu â llef uchel, "Eloï, Eloï, lema sabachthani", hynny yw, o'i gyfieithu, "Fy Nuw, fy Nuw, pam yr wyt wedi fy ngadael?" O glywed hyn, meddai rhai o'r sawl oedd yn sefyll gerllaw, "Clywch, y mae'n galw ar Elias". Rhedodd rhywun a llenwi ysbwng â gwin sur a'i ddodi ar flaen gwialen a'i gynnig iddo i'w yfed. "Gadewch inni weld", meddai, "a ddaw Elias i'w dynnu ef i lawr." Ond rhoes Iesu lef uchel, a bu farw. A rhwygwyd llen y deml yn ddwy o'r pen i'r gwaelod. Pan welodd y canwriad, a oedd yn sefyll gyferbyn ag ef, mai gyda gwaedd felly y bu farw, dywedodd, "Yn wir, Mab Duw oedd y dyn hwn."

Marc 15:25–39

286. Bu farw

Daethpwyd ag eraill hefyd, dau droseddwr, i'w dienyddio gydag ef. Pan ddaethant i'r lle a elwir Y Benglog, yno croeshoeliwyd ef a'r troseddwyr, y naill ar y dde a'r llall ar y chwith iddo. Ac meddai Iesu,

"O Dad, maddau iddynt, oherwydd ni wyddant beth y maent yn ei wneud." A bwriasant goelbrennau i rannu ei ddillad. Yr oedd y bobl yn sefyll yno, yn gwylio. Yr oedd aelodau'r Cyngor hwythau yn ei wawdio gan ddweud, "Fe achubodd eraill; achubed ei hun, os ef yw Meseia Duw, yr Etholedig". Daeth y milwyr hefyd ato a'i watwar, gan gynnig gwin sur iddo, a chan ddweud, "Os ti yw Brenin yr Iddewon, achub dy hun." Yr oedd hefyd arysgrif uwch ei ben: "Hwn yw Brenin yr Iddewon." Yr oedd un o'r troseddwyr ar ei groes yn ei gablu gan ddweud, "Onid ti yw'r Meseia? Achub dy hun a ninnau." Ond atebodd y llall, a'i geryddu: "Onid oes arnat ofn Duw, a thithau dan yr un ddedfryd? I ni, y mae hynny'n gyfiawn, oherwydd haeddiant ein gweithredoedd sy'n dod inni. Ond ni wnaeth hwn ddim o'i le." Yna dywedodd, "Iesu, cofia fi pan ddoi i'th deyrnas." Atebodd yntau, "Yn wir, rwy'n dweud wrthyt, heddiw byddi gyda mi ym Mharadwys." Erbyn hyn yr oedd hi tua hanner dydd. Daeth tywyllwch dros yr holl wlad hyd dri o'r gloch y prynhawn, a'r haul wedi diffodd. Rhwygwyd llen y deml yn ei chanol. Llefodd Iesu â llef uchel, "O Dad, i'th ddwylo di yr wyf yn cyflwyno fy ysbryd." A chan ddweud hyn bu farw. Pan welodd y canwriad yr hyn oedd wedi digwydd, dechreuodd ogoneddu Duw gan ddweud, "Yn wir, dyn cyfiawn oedd hwn." Ac wedi gweld yr hyn a ddigwyddodd, troes yr holl dyrfaoedd, a oedd wedi ymgynnull i wylio'r olygfa, tuag adref gan guro eu bronnau. Yr oedd ei holl gyfeillion, ynghyd â'r gwragedd oedd wedi ei ddilyn ef o Galilea, yn sefyll yn y pellter ac yn gweld y pethau hyn.

Luc 23:32–49

287. Gorffennwyd

Yna traddododd Pilat Iesu iddynt i'w groeshoelio. Felly cymerasant Iesu. Ac aeth allan, gan gario'i groes ei hun, i'r man a elwir Lle Penglog (yn iaith yr Iddewon fe'i gelwir Golgotha). Yno croeshoeliasant ef, a dau arall gydag ef, un ar bob ochr a Iesu yn y canol. Ysgrifennodd Pilat deitl, a'i osod ar y groes; dyma'r hyn a ysgrifennwyd: "Iesu o Nasareth, Brenin yr Iddewon." Darllenodd llawer o'r Iddewon y teitl hwn, oherwydd yr oedd y fan lle croeshoeliwyd Iesu yn agos i'r ddinas. Yr oedd y teitl wedi ei ysgrifennu yn iaith yr Iddewon, ac mewn Lladin a Groeg. Yna meddai prif offeiriaid yr Iddewon wrth Pilat, "Paid ag ysgrifennu, 'Brenin yr Iddewon', ond yn hytrach, 'Dywedodd ef, "Brenin yr Iddewon wyf fi." ' "Atebodd Pilat, "Yr hyn a ysgrifennais a ysgrifennais." Wedi iddynt groeshoelio Iesu, cymerodd y milwyr ei ddillad ef a'u rhannu'n bedair rhan, un i bob milwr. Cymerasant ei grys hefyd; yr oedd hwn yn ddiwnïad, wedi ei weu o'r pen yn un darn. "Peidiwn â'i rhwygo hi," meddai'r milwyr wrth ei gilydd, "gadewch inni fwrw coelbren amdani, i benderfynu pwy gaiff hi." Felly cyflawnwyd yr Ysgrythur sy'n dweud: "Rhanasant fy nillad yn eu mysg, a bwrw coelbren ar fy ngwisg." Felly y gwnaeth y milwyr. Ond yn ymyl croes Iesu yr oedd ei fam ef yn sefyll gyda'i chwaer, Mair gwraig Clopas, a Mair Magdalen. Pan welodd Iesu ei fam, felly, a'r disgybl yr oedd yn ei garu yn sefyll yn ei hymyl, meddai wrth ei fam, "Wraig, dyma dy fab di." Yna dywedodd wrth y disgybl, "Dyma dy fam di." Ac o'r awr honno, cymerodd y disgybl hi i mewn i'w gartref. Ar ôl hyn yr oedd Iesu'n gwybod bod pob peth bellach wedi ei orffen, ac er mwyn i'r Ysgrythur gael ei chyflawni dywedodd, "Y mae arnaf syched." Yr oedd llestr ar lawr yno, yn llawn o win sur, a dyma hwy'n dodi ysbwng, wedi ei lenwi â'r gwin yma, ar ddarn o isop, ac yn ei godi at ei wefusau. Yna, wedi iddo gymryd y gwin, dywedodd Iesu, "Gorffennwyd." Gwyrodd ei ben, a rhoi i fyny ei ysbryd.

Ioan 19:16–30

288. Cyfarwydd â dolur

Roedd wedi ei ddirmygu a'i wrthod gan eraill, yn ŵr clwyfedig, cyfarwydd â dolur; yr oeddem fel pe'n cuddio'n hwynebau oddi wrtho, yn ei ddirmygu ac yn ei anwybyddu. Eto, ein dolur ni a gymerodd, a'n gwaeledd ni a ddygodd — a ninnau'n ei gyfrif wedi ei glwyfo a'i daro gan Dduw, a'i ddarostwng. Ond archollwyd ef am ein troseddau ni, a'i ddryllio am ein camweddau ni; roedd pris ein heddwch ni arno ef, a thrwy ei gleisiau ef y cawsom ni iachâd. Rydym ni i gyd wedi crwydro fel defaid, pob un yn troi i'w ffordd ei hun; a rhoes yr Arglwydd arno ef ein beiau ni i gyd.

Eseia 53:3–6

289. Crist wedi marw

Oherwydd y mae Crist eisoes, yn yr amser priodol, a ninnau'n ddiymadferth, wedi marw dros yr annuwiol. Go brin y bydd neb yn marw dros un cyfiawn. Efallai y ceir rhywun yn ddigon dewr i farw dros un da. Ond prawf Duw o'r cariad sydd ganddo tuag atom ni yw bod Crist wedi marw drosom pan oeddem yn dal yn bechaduriaid.

Rhufeiniaid 5:6–8

290. Y bedd gwag

Ar ôl y Saboth, a dydd cyntaf yr wythnos ar wawrio, daeth Mair Magdalen a'r Fair arall i edrych ar y bedd. A bu daeargryn mawr; daeth angel yr Arglwydd i lawr o'r nef, ac aeth at y maen a'i dreiglo i ffwrdd ac eistedd arno. Yr oedd ei wedd fel mellten a'i wisg yn wyn fel eira. Yn eu dychryn o'i weld, crynodd y gwarchodwyr, ac aethant fel rhai marw. Ond llefarodd yr angel wrth y gwragedd: "Peidiwch chwi ag ofni," meddai. "Gwn mai ceisio Iesu, a groeshoeliwyd, yr ydych. Nid yw ef yma, oherwydd y mae wedi ei gyfodi, fel y dywedodd y byddai; dewch i weld y man lle y bu'n gorwedd. Ac yna ewch ar frys i ddweud wrth ei ddisgyblion, 'Y mae wedi ei gyfodi oddi wrth y meirw, ac yn awr y mae'n mynd o'ch blaen chwi i Galilea; yno y gwelwch ef.' Dyna fy neges i chwi." Aethant ymaith ar frys oddi wrth y bedd, mewn ofn a llawenydd mawr, a rhedeg i ddweud wrth ei ddisgyblion. A dyma Iesu'n cyfarfod â hwy a dweud, "Henffych well!" Aethant ato a gafael yn ei draed a'i addoli. Yna meddai Iesu wrthynt, "Peidiwch ag ofni; ewch a dywedwch wrth fy mrodyr am fynd i Galilea, ac yno fe'm gwelant i."

Mathew 28:1–10

291. Y mae wedi ei gyfodi

Wedi i'r Saboth fynd heibio, prynodd Mair Magdalen, a Mair mam Iago, a Salome, beraroglau, er mwyn mynd i'w eneinio ef. Ac yn fore iawn ar y dydd cyntaf o'r wythnos, a'r haul newydd godi, dyma hwy'n dod at y bedd. Ac meddent wrth ei gilydd, "Pwy a dreigla'r maen i ffwrdd oddi wrth ddrws y bedd i ni?" Ond wedi edrych i fyny, gwelsant fod y maen wedi ei dreiglo i ffwrdd; oherwydd yr oedd yn un mawr iawn. Aethant i mewn i'r bedd, a gwelsant ddyn ifanc yn eistedd ar yr ochr dde, a gwisg laes wen amdano, a daeth arswyd arnynt. Meddai yntau wrthynt, "Peidiwch ag arswydo. Yr ydych yn ceisio Iesu, y gŵr o Nasareth a groeshoeliwyd. Y mae wedi ei gyfodi; nid yw yma; dyma'r man lle gosodasant ef. Ond ewch, dywedwch wrth ei ddisgyblion ac wrth Pedr. 'Y mae'n mynd o'ch blaen chwi i Galilea; yno y gwelwch ef, fel y dywedodd wrthych.' " Daethant allan, a ffoi oddi wrth y bedd, oherwydd yr oeddent yn crynu o arswyd. Ac ni ddywedasant ddim wrth neb, oherwydd yr oedd ofn arnynt. Ar ôl atgyfodi yn fore ar y dydd cyntaf o'r wythnos, ymddangosodd yn gyntaf i Fair Magdalen, gwraig yr oedd wedi bwrw saith gythraul ohoni. Aeth hi a dweud y newydd wrth ei ganlynwyr yn eu galar a'u dagrau. A'r rheini, pan glywsant ei fod yn fyw ac wedi ei weld ganddi hi, ni chredasant. Ar ôl hynny, ymddangosodd mewn ffurf arall i ddau ohonynt fel yr oeddent yn cerdded ar eu ffordd i'r wlad; ac aethant hwy ymaith a dweud y newydd wrth y lleill. Ond ni chredodd y rheini chwaith. Yn ddiweddarach, ymddangosodd i'r un ar ddeg pan oeddent wrth bryd bwyd, ac edliw iddynt eu hanghrediniaeth a'u hystyfnigrwydd, am iddynt beidio â chredu y rhai oedd wedi ei weld ef ar ôl ei gyfodi. A dywedodd wrthynt, "Ewch i'r holl fyd a phregethwch yr Efengyl i'r greadigaeth i gyd."

Marc 16:1–15

292. Dydd cyntaf o'r wythnos

Ar y dydd cyntaf o'r wythnos, ar doriad gwawr, daethant at y bedd gan ddwyn y peraroglau yr oeddent wedi eu paratoi. Cawsant y maen wedi ei dreiglo i ffwrdd oddi wrth y bedd, ond pan aethant i mewn ni chawsant gorff yr Arglwydd Iesu. Yna, a hwythau mewn penbleth ynglŷn â hyn, dyma ddau ddyn yn ymddangos iddynt mewn gwisgoedd llachar. Daeth ofn arnynt, a phlygasant eu hwynebau tua'r ddaear. Meddai'r dynion wrthynt, "Pam yr ydych yn ceisio ymhlith y meirw yr hwn sy'n fyw? Nid yw ef yma; y mae wedi ei gyfodi. Cofiwch fel y llefarodd wrthych tra oedd eto yng Ngalilea, gan ddweud ei bod yn rhaid i Fab y Dyn gael ei ddraddodi i ddwylo pechaduriaid, a'i groeshoelio, a'r trydydd dydd atgyfodi." A daeth ei eiriau ef i'w cof. Dychwelsant o'r bedd, ac adrodd yr holl bethau hyn wrth yr un ar ddeg ac wrth y lleill i gyd. Mair Magdalen a Joanna a Mair mam Iago oedd y gwragedd hyn; a'r un pethau a ddywedodd y gwragedd eraill hefyd, oedd gyda hwy, wrth yr apostolion. Ond i'w tyb hwy, lol oedd yr hanesion hyn, a gwrthodasant gredu'r gwragedd. Ond cododd Pedr a rhedeg at y bedd; plygodd i edrych, ac ni welodd ddim ond y llieiniau. Ac aeth ymaith, gan ryfeddu wrtho'i hun at yr hyn oedd wedi digwydd.

Luc 24:1–12

293. Atgyfodiad Iesu

Ar y dydd cyntaf o'r wythnos, yn fore, tra oedd hi eto'n dywyll, dyma
Mair Magdalen yn dod at y bedd, ac yn gweld bod y maen wedi ei
dynnu oddi wrth y bedd. Rhedodd, felly, nes dod at Simon Pedr a'r
disgybl arall, yr un yr oedd Iesu'n ei garu. Ac meddai wrthynt, "Y
maent wedi cymryd yr Arglwydd allan o'r bedd, ac ni wyddom lle y
maent wedi ei roi i orwedd." Yna cychwynnodd Pedr a'r disgybl arall
allan, a mynd at y bedd. Yr oedd y ddau'n cydredeg, ond rhedodd y
disgybl arall ymlaen yn gynt na Pedr, a chyrraedd y bedd yn gyntaf.
Plygodd i edrych, a gwelodd y llieiniau yn gorwedd yno, ond nid aeth i
mewn. Yna daeth Simon Pedr ar ei ôl, a mynd i mewn i'r bedd. Gwelodd
y llieiniau yn gorwedd yno, a hefyd y cadach oedd wedi bod am ei ben
ef; nid oedd hwn yn gorwedd gyda'r llieiniau, ond ar wahân, wedi ei
blygu ynghyd. Yna aeth y disgybl arall, y cyntaf i ddod at y bedd,
yntau i mewn. Gwelodd, ac fe gredodd. Oherwydd nid oeddent eto
wedi deall yr hyn a ddywed yr Ysgrythur, fod yn rhaid iddo atgyfodi
oddi wrth y meirw. Yna aeth y disgyblion yn ôl adref.

Ioan 20:1–10

294. Arglwydd y meirw a'r byw

Os byw yr ydym, i'r Arglwydd yr ydym yn byw, ac os marw, i'r
Arglwydd yr ydym yn marw. Prun bynnag ai byw ai marw yr ydym,
eiddo'r Arglwydd ydym. Oherwydd pwrpas Crist wrth farw a dod yn
fyw oedd bod yn Arglwydd ar y meirw a'r byw.

Rhufeiniaid 14:8–9

295. Atgyfodiad y meirw

Os nad oes atgyfodiad y meirw, nid yw Crist wedi ei gyfodi chwaith.
Ac os nad yw Crist wedi ei gyfodi, gwagedd yw'r hyn a bregethir gennym
ni, a gwagedd hefyd yw eich ffydd chwi, a ninnau hefyd wedi ein cael
yn dystion twyllodrus i Dduw, am ein bod wedi tystiolaethu iddo gyfodi
Crist — ac yntau heb wneud hynny, os yw'n wir nad yw'r meirw'n cael
eu cyfodi. Oherwydd os nad yw'r meirw'n cael eu cyfodi, nid yw Crist
wedi ei gyfodi chwaith. Ac os nad yw Crist wedi ei gyfodi, ofer yw
eich ffydd, ac yn eich pechodau yr ydych o hyd. Y mae'n dilyn hefyd
fod y rhai a hunodd yng Nghrist wedi darfod amdanynt. Os ar gyfer y
bywyd hwn yn unig yr ydym wedi gobeithio yng Nghrist, nyni yw'r
bobl fwyaf truenus o bawb.

1 Corinthiaid 15:13–19

296. Bendigedig fyddo Duw

Bendigedig fyddo Duw a Thad ein Harglwydd Iesu Grist! O'i fawr drugaredd, fe barodd ef ein geni ni o'r newydd i obaith bywiol trwy atgyfodiad Iesu Grist oddi wrth y meirw.

1 Pedr 1:3

297. Credu heb weld

Dywedodd Iesu wrtho, "Ai am i ti fy ngweld i yr wyt ti wedi credu? Gwyn eu byd y rhai a gredodd heb iddynt weld."

Ioan 20:29

298.Dros fai nas haeddai

Dros fai nas haeddai, mae'n syn – ei weled
        Yn nwylaw Rhufeinddyn,
    A'i brofi gan wael bryfyn,
    A barnu Duw gerbron dyn.

Robert Williams (Robert ap Gwilym Ddu)

299. Miliynau o groesau

    Miliynau o groesau
    A gyst rhyfel o hyd,
    Ond un groes yn unig
    A bryn heddwch y byd.

Ifan Roberts

300. Yr hoelion

    Dim ond un all estyn llaw
    A hoelion drwy ei ddwylaw.

Ken Griffiths

301. Swper Olaf yr Haf

    Ym marw haf y mae awr hy'
    Gorfoledd gwledd ei gladdu;
    Yng nghist hwn mae angau'i stôr –
    Egin fydd yn ei agor;
    Daw i'r pridd wedi rhaib brad
    Hedyn yr atgyfodiad.

James Nicholas

302. Yr Oeddym Ni Yno

Mae ar ein traed ni laid Caersalem
O'r Pasg y flwyddyn Tri-deg-tri ;
Mae ar ein dwylo greithiau'r ddraenen honno
A blethwyd gennym at yr uchel sbri.
O! yr oeddym ninnau yno,
Ond 'rydym rywsut wedi hen anghofio,

Fe grach-boerasom ninnau'n wyneb Cariad
Pan faglai dan y pren ar stryd y dref,
Ei bwnio yn ei gefn a dwrn a phastwn
A sgrechian gyda'r dorf: "Croeshoelier Ef!"
O! yr oeddym ninnau yno,
Ond 'rydym rywsut wedi hen anghofio.

O'n ffowndri ni y daeth yr hoelion
A'r waywffon a'i gwanodd O, –
Mae arian Rhufain fawr a'r Archoffeiriad
Yn dal i'n dallu yn uffernau'r co'.
O! yr oeddym ninnau yno,
Ond 'rydym rywsut wedi hen anghofio.

Safasom dan y teircroes dan fytheirio
I wylio'i waed yn tasgu hyd y llawr,
Am na chodasom fys i arbed y diniwed,
Nyni sy'n euog o'r Fradwriaeth Fawr.
O! yr oeddym ninnau yno,
A byth ni ddylid gadael inni ei anghofio.

Gwilym R. Jones

303. Rwyn eich caru chi

I rai, y mae'r darlun o gorff gwelw yn llewyrchu'n wan ar noson dywyll
yn llefaru'n huawdl am fethiant. Pa werth yw Duw nad yw'n rheoli
dioddefaint ei Fab? Ond gellir clywed sŵn arall: sŵn Duw yn cyhoeddi
wrth ddynolryw, "Rwy'n eich caru chi!" Er mwyn hanes yn gyffredinol
cywasgwyd cariad i'r ffigwr unig yna ar y groes, ac a ddywedodd y
gallai alw ar yr angylion unrhyw bryd i'w achub ond dewisodd beidio

o'n herwydd ni. Ar Galfaria dewisodd Duw delerau diwyro ei gyfiawnder ei hun.

Philip Yancey

304. Mab Duw
Daeargryn mewn bedd oedd Mab Duw.

Saunders Lewis

305. Cario baich
Y mae pen trymha'r Groes ar ei ysgwyddau Ef bob amser. Os geilw arnom i gario baich, y mae yntau hefyd yn ei gario

Charles Spurgeon

306. Dioddef fel Iesu
Nid baich yw'r groes yn bennaf (er ei bod yn hynny hefyd); yn gyntaf oll, offeryn marwolaeth ydyw. Y mae Iesu'n hawlio fod y rhai sy'n ei ddilyn yn rhoi eu bywyd yn y fantol, rhaid iddynt fod yn barod i ddioddef fel y dioddefodd Iesu. Rhaid iddynt yn llythrennol fod yn barod i golli eu bywydau.

George Eldon Ladd

307. Croeshoelio Iesu
Nid mewn cadeirlan rhwng dwy gannwyll y croeshoeliwyd Iesu, ond ar y groes rhwng dau leidr.

George F. MacLeod

308. Doethineb Duw
Y mae doethineb Duw wedi trefnu ffordd i gariad Duw ein gwared rhag barn Duw heb gyfaddawdu cyfiawnder Duw.

John Piper

309. Olion y groes
Lle mae olion y groes yn eich bywyd? A oes arwyddion eich bod wedi eich uniaethu eich hun â'ch Arglwydd? Ysywaeth, y mae gormod o Gristnogion yn gwisgo medalau ond heb gario creithiau.

Vance Havner

310. Cario'r groes

Y mae gan Iesu lawer o bobl sy'n caru ei deyrnas nefol, ond ychydig sy'n barod i gario'i groes.

Thomas a Kempis

311. Crist Croeshoeliedig

Arddull groeshoeliedig sy'n gweddu orau i bregethwyr Crist Croeshoeliedig.

John Flavel

312. Marw cyn cychwyn

Chwarddodd capten y cwch am ben rhai cenhadon oedd ar eu ffordd i Affrica. "Wnewch chi ddim byd ond marw draw yn y fan honno", meddai. Ond atebodd un cenhadwr. "Capten, buom farw cyn i ni gychwyn."

Vance Havner

313. Gorfoleddu yn y groes

Y mae gorfoleddu mewn cystuddiau yn hawdd i'r sawl sy'n caru, oherwydd y mae gorfoledd felly yn gorfoleddu yng nghroes yr Arglwydd.

Thomas á Kempis

314. Edrych ar y groes

Ni fydd y sawl sydd wedi'i arswydo gan ei bechod ei hun, a hoeliodd Iesu i'r groes, yn cael ei arswydo mwyach gan bechodau gwaethaf ei frawd. O edrych ar y groes, y mae'n adnabod y galon ddynol. Y mae'n gwybod pa mor golledig ydyw mewn pechod a gwendid, a pha mor dderbyniol ydyw mewn gras a thrugaredd. Dim ond y brawd o dan y Groes all glywed y gyffes.

Dietrich Bonhoeffer

315. Coron

Does yna neb yn y nefoedd sy'n gwisgo coron na chododd groes ar y ddaear.

Charles Spurgeon

316. Dioddefaint Crist

Roedd Crist yn barod i ddioddef a chael ei ddirmygu, ac a wyt ti'n meiddio cwyno am rywbeth?

Thomas á Kempis

317. Diffyg cariad

Ym mhresenoldeb seiciatrydd ni allaf fod yn ddim ond yn ddyn sâl; ym mhresenoldeb brawd Cristnogol gallaf feiddio bod yn bechadur. Rhaid i'r seiciatrydd yn gyntaf chwilio fy nghalon, ac eto nid yw byth yn plymio i'w dyfnderoedd eithaf. Y mae'r brawd Cristnogol yn gwybod pan ddof ato: dyma bechadur fel ef ei hunan, dyn annuwiol sydd am gyffesu ac yn dyheu am faddeuant Duw. Y mae'r seiciatrydd yn edrych arnaf fel petai Duw ddim yn bod. Y mae'r brawd yn fy ngweld fel yr wyf ger bron Duw barn a thrugaredd yng nghroes Iesu Grist. Nid diffyg gwybodaeth seicolegol ond diffyg cariad at Iesu Grist sy'n ein gwneud mor dlawd ac aneffeithlon mewn cyffes frawdol.

Dietrich Bonhoeffer

318. Duwdod dioddefus

Nid oes mwy o ddirgelwch yn y nefoedd nac ar y ddaear na hyn – Duwdod dioddefus, Gwaredwr Hollalluog wedi ei hoelio ar Groes.

Samuel Zwemer

319. Derbyn Crist

Mewn llawer ffordd, rwy'n ei chael hi'n haws derbyn Crist heb ei atgyfodi. Y mae'r Pasg yn ei wneud yn beryglus. Oherwydd y Pasg, y mae'n rhaid i mi wrando ar ei honiadau rhyfeddol ac ni allaf mwyach ddewis a dethol ei ddywediadau. Hefyd, golyga'r Pasg ei fod allan yn fanna rhywle.

Philip Yancey

320. Tystiolaeth

O gasglu'r holl dystiolaeth ynghyd, nid yw'n ormod dweud nad oes yr un digwyddiad hanesyddol sy'n cario mwy o dystiolaeth nag atgyfodiad Iesu Grist.

B. F. Westcott

321. *Te Deum*

Gair am Dduw yw neges y Pasg, rhyw *Te Deum* mawreddog sy'n datgan yn llawen fod Duw'n parhau yn feistr ar ei deulu ei hun.

Ernest W. Saunders

322. Gweld mewn llawenydd

Felly y mae'n rhaid dweud wrth ein gweinidogion a'n cyfeillion Cristnogol, ychydig amser eto ac ni fyddwn yn eu gweld. Un ai y mae'n rhaid iddynt ein gadael ni, neu bydd yn rhaid i ni ymadael â hwynt; ond y mae'n sicr y bydd yn rhaid i ni wahanu ymhen ychydig amser. Ond nid gwahanu am byth. Nid yw ond yn nos da i'r sawl y gobeithiwn eu gweld mewn llawenydd yn y bore.

Matthew Henry

323. Llawenydd mewn gorthrymder

Y mae llawenydd mewn gorthrymder wedi ei wreiddio yng ngobaith yr atgyfodiad, ond y mae ein profiad o ddioddefaint hefyd yn dyfnhau gwreiddyn y gobaith hwnnw.

John Piper

324. Yr Atgyfodiad

Yr Atgyfodiad yw thema ganolog pob pregeth Gristnogol a gofnodir yn Llyfr yr Actau ... ffaith gyntaf hanes Gwledydd Cred yw bod nifer o bobl yn dweud eu bod wedi gweld yr Atgyfodiad.

C. S. Lewis

325. Y ffydd Gristnogol

Nid yw'r Efengylau'n egluro'r atgyfodiad; yr atgyfodiad sy'n egluro'r Efengylau. Nid atodiad i'r Ffydd Gristnogol yw'r atgyfodiad; yr atgyfodiad yw'r Ffydd Gristnogol.

J. S. Whale

326. Os na chyfododd Crist

Os na chyfododd Crist, nid fod angau'n rhoi'r terfyn ar fywyd yw'r canlyniad dychrynllyd, ond ein bod ni'n dal yn ein pechodau.

G. A. Studdert-Kennedy

327. Duw ei hunan

Nid yw cariad yn anfon eraill i ddioddef yn ei le. Daw cariad ei hunan ... Nid darlun o Dduw yw'r Groes. Dyma Dduw ei hunan.

John Austin Baker

328. Gwerth yr aberth

Ffaith sylfaenol y Ffydd Gristnogol yw bod Duw wedi credu fod pob dyn yn werth aberth ei Fab.

William Barclay

329. Darn o bren

Nid darn o bren yn unig yw croes ond popeth sy'n gwneud bywyd yn anodd.

Leonardo Boff

330. Pris crefydd

Nid yw pobl yn sylweddoli beth yw pris crefydd. Maent yn credu mai blanced drydan fawr ydyw, ond wrth gwrs, croes ydyw.

Flannery O'Connor

331. Dim byd

Dim atgyfodiad. Dim Cristnogaeth.

Arthur Michael Ramsey

332. Dienyddiwyd Duw

Dienyddiwyd Duw gan bobl boenus o debyg i ni, mewn cymdeithas debyg iawn i'r eiddom ni ... gan eglwys lygredig, gwleidyddion gwan, gwerin anwadal o dan arweiniad cynhyrfwyr proffesiynol.

Dorothy L. Sayers

333. Calon crefydd

Crefydd yr atgyfodiad yw Cristnogaeth yn ei hanfod. Y mae'r cysyniad o atgyfodiad wrth galon y grefydd. Os symudir hynny, fe ddinistrir Cristnogaeth.

John Stott

334. Addewid yr atgyfodiad

Y mae ein Harglwydd wedi ysgrifennu addewid yr atgyfodiad, nid mewn llyfrau yn unig, ond ym mhob deilen yn y gwanwyn.

Martin Luther

335. Cymdeithas a phrofiad

Nid pwyllgor a chadeirydd oedd canlyniad yr atgyfodiad, ond cymdeithas a phrofiad.

Anhysbys

336. Duw ar y Groes

Duw ar y Groes! Dyna'r cwbl yw fy niwinyddiaeth i.

Jean Lacordaire

337. Ergyd marwolaeth

Y mae marwolaeth, yr atalfa olaf honno ar ryddid, wedi derbyn ergyd farwol ei hunan drwy atgyfodiad Iesu Grist.

Michael Green

338. At y groes

Y mae unrhyw drafodaeth o'r modd y mae poen a dioddefaint yn dod i mewn i drefn Duw yn y pen draw yn arwain yn ôl at y groes.

Philip Yancey

339. Yn werth ei achub

Y mae cariad yn ystyried y byd hwn yn werth ei achub.

Philip Yancey

340. Un Cristion

Ni fu ond un Cristion. Fe'i daliwyd a'i groeshoelio'n gynnar.

Mark Twain

341. Duw yn farw

Y mae'r datganiad fod "Duw yn farw" wedi dod oddi wrth Nietzche ac yn ddiweddarach wedi ei gyhoeddi ar led gan rai diwinyddion Almaenig ac Americanaidd. Ond nid yw'r Arglwydd wedi marw; y mae'r Hwn sy'n trigo yn y Nefoedd yn chwerthin am eu pennau.

Karl Barth

342. Croes Crist

Wrth galon y stori, y mae croes Crist yn sefyll lle cyflawnodd y drwg ei waethaf, a chwrdd â'i feistr.

John W. Wenham

343. Aros f'enaid

Aros f'enaid, saf am ennyd,
Dwys ystyria'r rhyfedd Groes;
Gwêl dy Dduw, Tywysog bywyd,
Noeth, yn dioddef marwol loes:
Yno'n fud, cariad drud,
Aberth Tad i gadw'r byd.

J. D. Vernon Lewis

344. Cyfiawnhau ffordd y groes

Pan fydd Duw yn cyhoeddi ei air olaf yn nrama prynedigaeth y byd, fe
fydd yn cyfiawnhau ffordd y Groes, a dim byd arall.

George Caird

345. Dioddefaint Iesu

Yr hyn sy'n digwydd yn nioddefaint Iesu yw rhoi'r Mab drwy'r Tad.
Wrth roi ei Fab ei hun y mae Duw yn ei wahanu ei hun oddi wrtho'i
hun ac yn ei aberthu ei hun. Y mae rhoi'r Mab yn amlygu poen yn
Nuw na ellir mo'i ddeall ond mewn termau Trindodaidd, neu ddim o
gwbl.

Jurgen Moltmann

346. Ffydd

Nid yw diwinyddiaeth Gristnogol wedi awgrymu erioed y gellir gwybod
"ffaith" atgyfodiad Crist ar wahân i ffydd.

Alan Richardson

347. Y Groes

Cyn i ni ddechrau gweld y Groes fel rhywbeth a wnaethpwyd drosom
ni, rhaid i ni ei gweld fel rhywbeth a wnaethom ni.

John Stott

348. Goleuni yw Duw

Nid i dywyllwch yr ydych yn mynd, oherwydd Goleuni yw Duw. Nid
yw'n lle unig. Oherwydd y mae Crist gyda chwi. Nid gwlad ddieithr
mohoni, oherwydd y mae Crist yno.

Charles Kingsley

349. Pan oedd Iesu dan yr hoelion

Pan oedd Iesu dan yr hoelion
yn nyfnderoedd chwerw loes
torrwyd beddrod i obeithion
ei rai annwyl wrth y groes;
   cododd Iesu!
Nos eu trallod aeth yn ddydd.

Gyda sanctaidd wawr y bore
teithiai'r gwragedd at y bedd,
clywid ing yn sŵn eu camre,
gwelid tristwch yn eu gwedd;
   cododd Iesu!
Ocheneidiau droes yn gân.

Wyla Seion mewn anobaith
a'r gelynion yn cryfhau,
gwelir myrdd yn cilio ymaith
at allorau duwiau gau;
   cododd Iesu!
I wirionedd gorsedd fydd.

E. Cefni Jones

Yr Ysbryd Glân

350. Pan fo'r awel yn chwythu

Gwarchod pawb! Dyna danchwa sy'n dod i'r byd
Pan fo'r awel yn chwythu dynion a Duw ynghyd.

T. H. Parry-Williams

351. Tywalltaf fy ysbryd

Ar ôl hyn tywalltaf fy ysbryd ar bawb; bydd eich meibion a'ch merched
yn proffwydo, bydd eich hynafgwyr yn gweld breuddwydion, a'ch gwŷr
ifainc yn cael gweledigaethau.

Joel 2:28

352. Yr Ysbryd Glân

Ymddangosodd iddynt dafodau fel o dân yn ymrannu ac yn eistedd un
ar bob un ohonynt; a llanwyd hwy oll â'r Ysbryd Glân, a dechreusant
lefaru â thafodau dieithr, fel yr oedd yr Ysbryd yn rhoi lleferydd iddynt.

Actau 2:3–4

353. Eiriolwr arall

Ac fe ofynnaf finnau i'm Tad, ac fe rydd ef i chwi Eiriolwr arall i fod
gyda chwi am byth, Ysbryd y Gwirionedd. Ni all y byd ei dderbyn ef,
am nad yw'r byd yn ei weld nac yn ei adnabod ef; yr ydych chwi yn ei
adnabod, oherwydd gyda chwi y mae'n aros ac ynoch chwi y bydd.

Ioan 14:16–17

354. Y Tad Nefol

Am hynny, os ydych chwi, sy'n ddrwg, yn medru rhoi rhoddion da i'ch
plant, gymaint mwy y rhydd y Tad nefol yr Ysbryd Glân i'r rhai sy'n
gofyn ganddo.

Luc 11:13

355. Abba Dad

Oherwydd nid ysbryd caethiwed sydd unwaith eto'n peri ofn yr ydych
wedi ei dderbyn, ond Ysbryd mabwysiad, yr ydym trwyddo yn llefain,
"Abba! Dad!"

Rhufeiniaid 8:15

356. Ewyllys Duw

Yn yr un modd, y mae'r Ysbryd yn ein cynorthwyo yn ein gwendid. Oherwydd ni wyddom ni sut y dylem weddïo, ond y mae'r Ysbryd ei hun yn ymbil trosom ag ocheneidiau y tu hwnt i eiriau, ac y mae Duw, sy'n chwilio calonnau dynol, yn deall bwriad yr Ysbryd, mai ymbil y mae tros y saint yn ôl ewyllys Duw.

Rhufeiniaid 8:26–27

357. Ysbryd y Gwirionedd

"Yr wyf fi'n dweud y gwir wrthych: y mae'n fuddiol i chwi fy mod i'n mynd ymaith. Oherwydd os nad af, ni ddaw'r Eiriolwr atoch chwi. Ond os af, fe'i hanfonaf ef atoch ... Ond pan ddaw ef, Ysbryd y Gwirionedd, fe'ch arwain chwi yn yr holl wirionedd. Oherwydd nid ohono'i hun y bydd yn llefaru; ond yr hyn a glyw y bydd yn ei lefaru, a'r hyn sy'n dod y bydd yn ei fynegi i chwi."

Ioan 16:7,13

358. Teml yr Ysbryd

Neu, oni wyddoch fod eich corff yn deml i'r Ysbryd Glân sydd ynoch, yr hwn sydd gennych oddi wrth Dduw, ac nad yr eiddoch eich hunain mohonoch?

1 Corinthiaid 6:19

359. Gwin seler Duw

Mae plant y byd yn dweud ar go'dd
Mai meddw wyf neu mas o 'nghof,
Os meddw wyf, nid rhyfedd yw, –
Meddw ar win o seler Duw.

Hen Bennill

360. Llawenydd

Y mae'n beth trawiadol mai llawenydd yw'r ail o ffrwythau'r Ysbryd yn rhestr Paul. Ond nid yw'n syndod o gofio fel y mae llawenydd yn dygyfor yn barhaus ar dudalennau'r Testament Newydd. Beth arall y gellid ei ddisgwyl yn sŵn y newyddion da fod pechod wedi'i goncro ond llawenydd? Mae'r gair Groeg am lawenydd (*chara*) yn perthyn yn agos i'r gair am ras (*charis* - neu Carys fel yr ydym yn ei adnabod fel enw merch). O gofio cyfoeth anferthol y gair "gras" yn y Testament

Newydd, bydd yr allwedd yn ein dwylo i werthfawrogi arwyddocâd "llawenydd". Ymateb i garedigrwydd achubol Duw yw llawenydd. Y peth sy'n ei ennyn yw bod Duw'n ein trin yn rasol. Am fod llawenydd wedi'i angori wrth raslonrwydd Duw, nid yw ar drugaredd yr amgylchiadau. Nid yw chwaith ar drugaredd ein cyflyrau seicolegol ni ...

R. Tudur Jones

361. Ffydd

Yn y diwedd, ffydd sy'n rhyddhau egni ac yn tanio hunanaberth ac ymroddiad ... Achubwyd ein cenedl o bosibilrwydd difodiant fwy na unwaith gan adnewyddiad Cristnogol mawr. Credaf mai dyna'n gobaith ni'n awr.

R. Tudur Jones

362. Hyder

Nid oes gwell sgrin i gau'r Ysbryd allan na hyder yn ein deallusrwydd ein hunain.

John Calfin

363. Ysbryd y Pentecost

Y mae llawer o eglwysi heddiw yn amddifad o Ysbryd y Pentecost oherwydd eu bod yn sych ac yn ddiflas, lle mae pobl yn dioddef o syrthni; yr addoliad yn brennaidd ac ailadroddus; y pregethu'n undonog a fflat; y canu heb y brwdfrydedd a'r egni sy'n llefaru am Arglwydd croeshoeliedig ac atgyfodedig; yn fannau, os bydd rhywun yn digwydd dweud, "Amen!", lle syllir arno ac y gelwir heb oedi am y gwasanaethau brys.

Carlyle Fielding

364. Y Diddanydd

Yn ein trafferthion tueddwn i anghofio'r hyn a glywsom a'i ddarllen am ffynonellau ein cysur. Beth yw'r rheswm fod dyn yn meddwl am yr hyn y byddai fel arall byth wedi ei ddwyn i gof? Yr Ysbryd Glân sy'n ei ddwyn i'w gof; Ef yw'r Diddanydd, yn dwyn i gof bethau defnyddiol ar yr adegau hynny y mae eu gwir angen.

Richard Sibbes

365. Ysbryd Sanctaidd Duw

Ysbryd Sanctaidd Duw, ymwêl yn awr â'm henaid, ac aros yno hyd yr hwyr. Ysbrydola fy holl feddyliau. Treiddia drwy fy holl ddychmygion. Cyfarwydda fy mhenderfyniadau. Trig yn eithafion fy enaid, a threfna fy holl weithredoedd. Bydd gyda mi yn y tawelwch ac yn fy llefaru, yn fy mrys ac yn fy hamdden, mewn cwmni ac mewn unigedd, yn ffresni'r bore ac yn lludded yr hwyr. Rho i mi ras i orfoleddu bob amser yn dy gwmni dirgel di.

John Baillie

366. Gras Duw

Y mae ffydd yn ymddiriedaeth fyw ac eofn yng ngras Duw, ac mor sicr o ffafr Duw fel ei bod yn barod i fentro marwolaeth fil o weithiau wrth ymddiried ynddo. Mae'r fath hyder a gwybodaeth o ras Duw yn eich gwneud yn llawen ac eofn yn eich perthynas â Duw a phob creadur. Yr Ysbryd Glân sy'n galluogi hyn drwy ffydd. O'r herwydd, yr ydych, gyda llawenydd ac eiddgarwch, yn barod i wneud daioni i bawb, gwasanaethu pawb, dioddef popeth a charu a moliannu'r Duw a amlygodd y fath ras.

Martin Luther

367. Ffynhonell y grym

Ers dyddiau'r Pentecost, a yw'r Eglwys wedi rhoi pob gwaith heibio a disgwyl wrtho Ef am ddeg diwrnod, er mwyn i nerth yr Ysbryd gael ei amlygu? Rhown ormod o sylw i ddulliau, peirianwaith ac adnoddau, a rhy ychydig i ffynhonnell y grym.

Jeremy Taylor

368. Ysbryd Duw

Darllenwch a mwynhewch unrhyw bennod o'r Ysgrythur a fynnoch – eto bydd yn eich gadael mor dlawd a gwag, a heb newid dim o'r eiliad cyntaf, oni fydd wedi eich troi yn llwyr at Ysbryd Duw, a'ch dwyn i undod llawn ac i ddibyniaeth lwyr arno ef.

William Law

369. Tad Sanctaidd

Pan fyddwch yn gweddïo, bydd Ef (Yr Ysbryd Glân) ym mhob gair, ac fel Tân Sanctaidd yn treiddio trwy bob gair.

Ioan o Kronstadt

370. Arweinwyr doeth

Dylai arweinwyr doeth wybod na all y galon ddynol fyw mewn gwacter. Os gwrthodir yr hawl i Gristnogion fwynhau gwin yr Ysbryd, byddant yn siŵr o droi at win y cnawd ... bu Crist farw dros ein calonnau ac y mae'r Ysbryd Glân yn dymuno dod i'w bodloni.

A. W. Tozer

371. Tân Duw

Y mae'r eneidiau sy'n llawn o'r Ysbryd ar dân dros Dduw. Y maent yn casáu pechod â ffyrnigrwydd sy'n llosgi. Y maent yn llawenhau â llawenydd sy'n disgleirio. Perffeithir cariad yn nhân Duw.

Samuel Chadwick

372. Duw pob gras

Y mae meddwl uchel dyn amdano'i hun yn peri iddo gredu y gall ennill ffafr Duw drwy ei berfformiadau crefyddol; y mae ei feddwl isel o Dduw yn ei wneud yn amharod ac yn rhy ofnus i osod ei achos yn llwyr yn ei ddwylo. Bwriad gwaith yr Ysbryd Glân yw newid barn y pechadur amdano'i hun, er mwyn iddo feddwl amdano'i hun fel y mae Duw yn meddwl amdano, a thrwy hynny roi'r gorau i gredu y gall gael ei gyfiawnhau drwy ei ardderchowgrwydd ei hun. Y mae'r Ysbryd, wedi hynny, yn newid ei farn ddrwg am Dduw er mwyn peri iddo weld mai'r Duw y mae'n ymwneud ag ef yw Duw pob gras.

Horatius Bonar

373. Ysbryd Duw yn llewyrchu

Gall dyn ddarllen y ffigyrau ar y deial, ond methu dweud pa amser o'r dydd ydyw oni fydd yr haul yn disgleirio arno; felly gallwn ddarllen y Beibl dro ar ôl tro, heb wybod ei bwrpas, hyd nes i Ysbryd Duw lewyrchu arno ac i'n calonnau.

Anhysbys

374. Y Person Dwyfol

Y mae rhai eneidiau'n credu fod yr Ysbryd Glân yn bell iawn i ffwrdd. Ond yn wir, gallwn ddweud mai ef yw'r Person Dwyfol sy'n nes na neb at bob creadur. Y mae'n cyd-deithio gydag ef i bob man. Y mae'n treiddio drwyddo. Y mae'n ei alw, y mae'n ei warchod. Y mae'n ei wneud yn deml fywiol. Y mae'n ei amddiffyn. Y mae'n ei gynorthwyo.

Y mae'n ei gadw rhag ei elynion. Y mae'n nes ato na'i enaid ei hun. Y mae'r holl ddaioni y mae'r enaid yn ei gyflawni yn digwydd trwy ei ysbrydoliaeth, ei ras a'i gymorth.

Concepcion Cabrera de Armida

375. Ysbryd Duw

Y mae undod yn hanfodol i dywalltiad Ysbryd Duw. Os oes gennych 120 folt o drydan yn dod i'ch tŷ, a'ch gwifrau wedi torri, gallwch gynnau'r trydan ond does dim yn gweithio – dim golau, dim gwres, dim radio. Pam? Am eich bod wedi torri'r gwifrau. Y mae'r grym yn barod i gyflawni ei waith ... ond lle mae gwifrau wedi torri, does dim grym. Y mae undod yn hanfodol ymhlith plant Duw os ydym am adnabod llif y grym ... a gweld Duw'n cyflawni ei ryfeddodau.

A. W. Tozer

376. Puro a sancteiddio

Y mae'r Eglwys ... am amser rhy hir o lawer, wedi dilyn Casper yr ysbryd cyfeillgar yn hytrach na cheisio tân yr Ysbryd Glân. Aethom yn llipa wrth feddwl am ein croes ein hunain; llewygwn wrth feddwl am ddioddefaint neu aberth. Anwyliaid, y mae'n amser cofleidio tân presenoldeb Duw. Dyma'r tân sy'n puro a sancteiddio.

Francis Frangipane

377. Duw yn cyflawni ei waith

Byddwch yn edrych yn ôl ar eich bywyd. Byddwch yn siomedig mewn llawer ffordd wrth feddwl am eich rhan. Efallai y gwelwch i chi faglu a gwneud camgymeriadau. Efallai i chi deimlo weithiau nad chi oedd y person ar gyfer y gwaith, a bod Duw wedi gwneud camgymeriad. Y mae llawer ohonom wedi teimlo felly. Ac eto, wrth i ni edrych yn ddyfnach ar ffyrdd Duw gyda ni, ac ystyried egwyddorion Duw, gwelwn fod rhesymeg hyfryd ynddo. Cawsoch chi a minnau ein galw i rywbeth, gafaelodd Duw ynom a'n gosod yn rhywle a theimlwn fod Duw wedi gwneud camgymeriad: nid fi yw'r person ar gyfer hyn, ni ddylwn fod yma; does gennyf ddim cymwysterau angenrheidiol. Eto, ryw ffordd neu'i gilydd, y mae Duw yn gwneud hynny. Y mae'n eich galluogi. Y mae'n cyflawni ei waith, er syndod a rhyfeddod ichi wrth i chi ymddiried yn yr Ysbryd Glân. Trwy'r Ysbryd, cyflawnodd Duw'r gwaith ynoch chwi.

T. Austin Sparks

378. Dim arall yn cyfrif

Yn amddifad o dân Duw, does dim arall o bwys; yn feddiannol o'r tân, does dim arall yn cyfrif.

Samuel Chadwick

379. Ysbryd Duw

Mae Ysbryd Duw'n cyfrannu cariad yn gyntaf; yna mae'n symbylu gobaith; ac yna'n rhoi rhyddid, sef y peth olaf sydd gennym yn llawer o'n heglwysi.

Dwight L. Moody

380. Ysbryd cenhadol

Roedd dyfodiad yr Ysbryd Glân ar y Pentecost yn ddyfodiad ysbryd cenhadol. Daeth y rhai a dderbyniodd yr Ysbryd Glân yn dystion.

Roland Allen

381. Nerth dwyfol

Ni ddylem geisio datguddiadau o nerth dwyfol er mwyn gwneud ffydd naturiol yn haws.

Richard Meux Benson

382. Gwlith gras

Ni chefais fy nhaenellu mewn eglwys, ond fe'm taenellwyd o fore tan yr hwyr gan wlith gras.

Rufus Jones

383. Cyflawni potensial

Nid yw, ac ni all Ysbryd Glân Duw newid ein cyfyngiadau: dim ond cyflawni ein potensial.

Hugh Montifiore

384. Genedigaeth

Yn union fel nad oes genedigaeth heb naw mis o baratoi gofalus, ni all ailenedigaeth ysbrydol ddigwydd hyd nes y byddwn yn barod amdani, a bod ein hamser wedi dod. Y mae ei gorfodi lawn mor beryglus â phrysuro genedigaeth cyn pryd.

Hugh Montefiore

385. Anfonodd ei Ysbryd

Cyn i Grist anfon yr eglwys i'r byd, anfonodd ei Ysbryd. Rhaid dilyn yr un drefn heddiw.

John Stott

386. Llythyr difywyd a marw

Heb yr Ysbryd, nid yw'r Gair ond yn llythyr difywyd a marw.

John Stott

387. Credu yn yr Ysbryd Glân

Bob tro y dywedwn 'Credaf yn yr Ysbryd Glân' yr ydym yn golygu ein bod yn credu fod yna Dduw byw sy'n abl a pharod i ddod i mewn i'r bersonoliaeth ddynol, a'i newid.

J. B. Phillips

Yr Eglwys

388. Ar y graig hon
Ac rwyf fi'n dweud wrthyt mai ti yw Pedr, ac ar y graig hon yr adeiladaf fy eglwys, ac ni chaiff holl bwerau Hades y trechaf arni.

Mathew 16:18

389. Bugeilio Eglwys Dduw
Gofalwch amdanoch eich hunain ac am yr holl braidd, y gosododd yr Ysbryd Glân chwi yn arolygwyr drosto, i fugeilio eglwys Dduw, yr hon a enillodd ef â gwaed ei briod un.

Actau 20:28

390. Corff Crist
Darostyngodd Duw bob peth dan ei draed ef, a rhoddodd ef yn ben ar bob peth i'r eglwys; yr eglwys hon yw ei gorff ef, a chyflawniad yr hwn sy'n cael ei gyflawni ym mhob peth a thrwy bob peth.

Effesiaid 1:22–23

391. Ysblander doethineb Duw
I mi, y llai na'r lleiaf o'r holl saint, y rhoddwyd y rhodd raslon hon, i bregethu i'r Cenhedloedd anchwiliadwy olud Crist, ac i ddwyn i'r golau gynllun y dirgelwch a fu'n guddiedig ers oesoedd yn Nuw, Creawdwr pob peth, er mwyn i ysblander amryfal ddoethineb Duw gael ei hysbysu yn awr, trwy'r eglwys, i'r tywysogaethau a'r awdurdodau yn y nefolion leoedd.

Effesiaid 3:8–10

392. Yn bod cyn pob peth
Y mae ef yn bod cyn pob peth, ac ynddo ef y mae pob peth yn cydsefyll. Ef hefyd yw pen y corff, sef yr eglwys. Ef yw'r dechrau, y cyntafanedig o blith y meirw, i fod ei hun yn gyntaf ym mhob peth.

Colosiaid 1:17–18

393. Cystuddiau Crist

Yr wyf yn awr yn llawen yn fy nioddefiadau drosoch, ac yn cwblhau yn fy nghnawd yr hyn sy'n ôl o gystuddiau Crist, er mwyn ei gorff, sef yr eglwys.

Colosiaid 1:24

394. Y dydd yn dod yn agos

Gadewch inni ystyried sut y gallwn ennyn yn ein gilydd gariad a gweithredoedd da, heb gefnu ar ein cydgynulliad ein hunain, yn ôl arfer rhai, ond annog ein gilydd, ac yn fwy felly yn gymaint â'ch bod yn gweld y Dydd yn dod yn agos.

Hebreaid 10:24–25

395. Gadael i Dduw weithio

Gwreiddyn pob rhwyg a heresi yn yr Eglwys Gristnogol yw ymgais dynion i geisio ennill yn hytrach na derbyn iachawdwriaeth; a'r rheswm fod pregethu yn gyffredinol mor aneffeithiol yw ei fod yn rhy aml yn galw ar bobl i weithio dros Dduw yn hytrach na chaniatáu i Dduw weithio drwyddynt hwy.

John Ruskin

396. Busnes eglwys

Busnes cyntaf eglwysi yw bod yn eglwysi. Ond eu busnes hwy hefyd, nid busnes gweinidog y goron, yw diffinio beth mae hynny'n ei olygu.

R. Tudur Jones

397. Eglwys groeshoeliedig

Efallai y cymer eglwys groeshoeliedig i ddwyn Crist croeshoeliedig i olwg y byd.

William E. Orchard

398. Ffedog y gwas

Wrth fyfyrio ar hanes yr Eglwys, onid yw'n rheidrwydd arnom gyffesu iddi fethu dilyn esiampl ei Sefydlydd? Yn amlach na pheidio, gwisgodd fantell y llywodraethwr ac nid ffedog y gwas.

Michael Green

399. Anfon yr Ysbryd
Cyn i Grist anfon yr Eglwys i'r byd anfonodd yr Ysbryd i'r Eglwys. Rhaid dilyn yr un drefn heddiw.

John Stott

400. Nod cyntaf yr eglwys
Os mai nod cyntaf y wir eglwys, a'r eglwys fyw, yw cariad, yr ail yw dioddefaint. Y mae'r naill yn esgor yn naturiol ar y llall. Y mae parodrwydd i ddioddef yn profi dilysrwydd cariad.

John Stott

401. Yr Eglwys
Y mae'r eglwys sy'n briod ag ysbryd ei hoes yn weddw yn y nesaf.

W. R. Inge

402. Gwasanaethu
Y mae aelodau'r Eglwys yn aml yn disgwyl gwasanaeth ac yn gyndyn i wasanaethu.

Vance Havner

403. Aelodaeth eglwysig
Nid yw aelodaeth eglwysig yn eich gwneud yn Gristion, dim mwy nag y mae bod yn berchen ar biano'n gwneud cerddor.

Douglas Meador

404. Eglwys y ddaear
Bydd Cain yn parhau i ladd Abel tra bo'r eglwys ar y ddaear.

Martin Luther

405. Y weledigaeth fawr
Hawdd yw cynhyrfu'r Eglwys â phetheuach pan fo'r weledigaeth fawr ar drai.

E. Tegla Davies

406. Gras
Gall dawn wneud pregethwr, ond rhaid cael gras i wneud gweinidog.

E. Tegla Davies

407. Dilynwyr Iesu

Mae dilynwyr Iesu Grist i fod yn wahanol – yn wahanol i'r eglwys mewn enw ac i'r byd secwlar, gwahanol na'r crefyddol a'r digrefydd fel ei gilydd. Y Bregeth ar y Mynydd yw'r darlun mwyaf cyflawn yn y Testament Newydd o werthoedd Cristnogol, safonau moesol, ymroddiad crefyddol, agwedd at arian, uchelgais, ffordd o fyw a rhwydweithiau perthynas – pob un ohonynt i'r gwrthwyneb yn hollol i'r byd anghristnogol. Y Gwrthddiwylliant Cristnogol hwn yw bywyd Teyrnas Dduw, bywyd gwir ddynol sy'n cael ei fyw dan deyrnasiad dwyfol.

John Stott

408. Rhodio gyda Duw

Bwriadwyd sefydliadau i alluogi unigolion i rodio gyda Duw. Modd i gyrraedd y nod ydynt. Ond yn aml, mae'r sefydliad yn dod yn bwysicach na'r unigolyn, a'r unigolyn yn dechrau gwasanaethu'r sefydliad.

Michael J. Wilkins

409. Ewyllys Duw

Y mynegiant uchaf o ewyllys Duw yn yr oes hon yw'r eglwys a brynodd trwy ei waed ei hun. Er mwyn bod yn ysgrythurol ddilys, rhaid i unrhyw weithgaredd crefyddol fod yn rhan o'r eglwys. Boed hyn yn glir i bawb: ni ellir cael unrhyw wasanaeth a fydd yn dderbyniol i Dduw os nad yw wedi ei ganoli ac yn tarddu o'r eglwys.

A. W. Tozer

410. Had yr eglwys

Gwaed y merthyron yw had yr eglwys

Tertullian

411. Aelodau defnyddiol

Fel arfer, aelodau mwyaf defnyddiol unrhyw eglwys yw'r rheini fyddai'n gwneud drwg oni bai eu bod yn gwneud daioni.

Charles Spurgeon

412. Cymdeithas yr eglwys

Nid cynulleidfa o bobl gyfiawn yw'r Eglwys Gristnogol. Cymdeithas o'r sawl sy'n gwybod nad ydynt yn dda ydyw.

Dwight E. Stevenson

413. Ffurf o Grist

Yr hyn sydd o bwys yn yr eglwys yw nid crefydd ond y ffurf o Grist, a chaiff ei ffurfio ymhlith cwmni o ddynion.

Dietrich Bonhoeffer

414. Dim cyfaddawd

Perygl mwyaf yr Eglwys heddiw yw ceisio bod ar yr un ochr â'r byd, yn hytrach na throi'r byd wyneb i waered. Mae'r meistr yn disgwyl i ni sicrhau canlyniadau, hyd yn oed os yw hynny'n golygu gwrthwynebiad a gwrthdaro. Y mae unrhyw beth yn well na chyfaddawd, difaterwch a pharlys.

A. B. Simpson

415. Bod yn genhadon

Ar y Sul, yr ydym fel llond ystafell o lampau'n ceisio cael y gorau ar ein gilydd trwy ddallu ein gilydd. Rydym yn mwynhau cwmni ein gilydd gymaint nes i ni fynd yn glwb cyfyngedig yn hytrach na chenhadon.

Vance Havner

416. Dilynwyr yr Arglwydd

Felly, cofier eich bod chwi sy'n proffesu bod yn ddilynwyr i'r Arglwydd Iesu i sylweddoli fod difaterwch yn amhosibl! Rhaid i chi fendithio'r eglwys a'r byd drwy eich sancteiddrwydd, neu byddwch yn melltithio'r naill a'r llall drwy eich rhagrith a'ch anghysondeb. Yn yr eglwys weledig "nid oes neb yn byw iddo'i hun ac nid oes neb yn marw iddo'i hun".

Charles Spurgeon

417. Ni yw'r eglwys

Eiliad sancteiddiaf y gwasanaeth eglwysig yw'r eiliad honno pan fydd pobl Dduw – wedi eu hatgyfnerthu gan y pregethu a'r sacramentau – yn mynd allan trwy'r drws i'r byd i fod yr eglwys. Nid ydym yn mynd i'r eglwys; ni yw'r eglwys.

Kenneth Scott Latourette

418. Defaid a bleiddiaid

Y mae llawer o ddefaid y tu allan, llawer o fleiddiaid y tu mewn.

Awstin Sant

419. Bywyd

Nid yw cant o bobl grefyddol, sydd wedi eu gweu yn un trwy drefniadaeth ofalus, yn gwneud eglwys, dim mwy nag ydyw un ar ddeg o ddynion marw yn gwneud tîm pêl droed. Yr anghenraid cyntaf, bob amser, yw bywyd.

A. W. Tozer

420. Y cwrdd gweddi

Thermomedr eglwys yw ei chwrdd gweddi.

Vance Havner

421. Yr eglwys

Y mae'r eglwys sydd heb brofi ing mawr yn ei chalon yn amddifad o gerddoriaeth fawr ar ei gwefusau.

Karl Barth

422. Crist cariadlawn

Rhaid i lawer oddi mewn ac oddi allan i'r eglwys ddysgu nad credo na defod yw Cristnogaeth, ond bywyd wedi ei gysylltu â Christ cariadlon.

Josiah Strong

423. Llosgwyd

Llosgwyd ond heb ei difa.

Arwyddair Eglwys yr Alban

424. Ysbryd Duw

Y mae Ysbryd Duw, yn gyntaf oll, yn cyfrannu cariad; yna'n symbylu gobaith; yna'n rhoi rhyddid; a dyna i bob golwg yw'r peth olaf sydd gennym mewn llawer o'n heglwysi.

Dwight L. Moody

425. Diwygio'r Eglwys

Er mwyn diwygio Eglwys Dduw rhaid yn gyntaf ddiwygio'r hunan. Bydd rhwygiadau a rhaniadau'n cynyddu wrth i ni gychwyn trwy ddiwygio eraill.

Robert C. Chapman

426. Adnewyddiad

Mae llawer o eglwysi'n credu bod angen gweinidog newydd heb sylweddoli mai'r hyn y maent ei angen yw gweinidog wedi ei adnewyddu.

Vance Havner

427. Y diafol yn gwenu

Pan yw Cristion yn osgoi cymdeithas gyda Christnogion eraill, y mae'r diafol yn gwenu. Pan yw'n peidio darllen y Beibl, y mae'r diafol yn chwerthin. Pan yw'n peidio gweddïo, mae'r diafol yn gweiddi mewn gorfoledd.

Corrie ten Boom

428. Mynd i'r eglwys

Gwthiwyd yr eglwys i'r cyrion, ac fe'i cysylltir yn awr â diddordebau a gweithgareddau hamdden pobl. Mae pobl yn mynd i'r eglwys yn yr un modd ag y maent yn mynd i chwarae bowls neu sgitls neu'n mynd i'r dafarn.

Richard Harries

429. A yw'n iawn?

Bydd y gwleidydd yn gofyn y cwestiwn, "A yw'n gyfleus?" ac yna'n gofyn, "A yw'n iawn?" Cwestiwn y proffwydi yw, "A yw'n iawn?" Rhaid i'r Eglwys ddal ati i ofyn, "A yw'n iawn?"

Jesse Jackson

430. Ein cymdogion

Mae ein rhaniadau yn rhwystro'n cymdogion rhag clywed yr Efengyl fel y dylent.

Y Pab Ioan Pawl ll

431. Gogoniant yr Efengyl

Gogoniant yr Efengyl yw bod yr Eglwys gan amlaf yn denu'r byd pan yw'n gwbl wahanol iddo.

D. Martyn Lloyd-Jones

432. Yr Eglwys fyw

Y mae'r Eglwys fyw, er nad ydyw fyth yn daclus, yn cadw byd Duw rhag trychineb llwyr.

George MacLeod

433. Gobaith wedi marw

Nid yw'r Eglwys wedi marw ... Gobaith sydd wedi marw.

Colin Morris

434. Trugaredd yn unig

Y mae'r Eglwys yn bod pa le bynnag y mae Duw, yn ei ryddid brenhinol, wedi ei galw i fod drwy alw ei eiddo i gymdeithas â'i Fab. Ac y mae'n bodoli trwy drugaredd yn unig.

Leslie Newbigin

435. Edifeirwch

Nid oes ffydd heb edifeirwch ac nid oes eglwys heb edifeirwch.

Martin Niemoller

436.Yr alwad ddwyfol

Nid y cwlwm teuluol, neu gyfartaledd cymdeithasol ac economaidd, neu unrhyw orthrwm neu gŵyn cyffredin yw sail y gymuned Gristnogol ... ond yr alwad ddwyfol. Nid canlyniad ymdrechion dynol yw'r gymuned Gristnogol.

Henri Nouwen

437. Rhagrith

Ar y cyfan, nid yw'r eglwys yn waeth na'r byd o'i chwmpas. Ni all honni bod yn well; a phan yw'n ceisio gwneud hynny, mae pobl yn gweld y rhagrith.

Paul Oestreicher

438. Teyrnas Dduw

Y mae Teyrnas Dduw a'i Grist ef yn fwy na'r Eglwys,

Wolfhart Pannenberg

439. Credoau

Dyfeisiadau i gadw hereticiaid allan, yn hytrach na denu pobl i mewn, yw credoau

Gerald Priestland

440. Yr Apostolion

Dewisodd Iesu'r Apostolion er mwyn iddynt fod gydag ef a gwylio'r bywyd y bu ef byw, ac yna byw'r bywyd hwnnw eu hunain.

W. E. Sangster

441. Yn synnu

Y mae'r eglwys yn synnu pan yw 'anffodusion' yn iselhau eu hunain ac yn gwerthu eu cyrff; nid ydynt yn synnu cymaint pan yw newyddiadurwyr yn gwerthu eu heneidiau.

Dorothy L. Sayers

442. Gweithredu ar ran y tlawd

Fel rhan o'i gwrando, gelwir ar yr Eglwys i ymgyflwyno i weithredu ar ran y tlawd.

David Shepherd

443. Adlewyrchu cymeriad Duw

Gelwir ar yr Eglwys i adlewyrchu cymeriad Duw yn y byd ... Bydd adlewyrchu'r cymeriad hwn yn golygu y bydd yn rhaid i'r Eglwys fentro colli ei diniweidrwydd drwy ymgolli ym mywyd pobl y dinasoedd. Bydd yn rhaid iddi ar adegau ochri, hyd yn oed os bydd hynny'n golygu amhoblogrwydd mawr yn hytrach na thwf ym mhlith yr addolwyr.

David Sheppard

444. Dyfodol yr eglwys

Ni allaf weld unrhyw ddyfodol i eglwys na all dderbyn bod iddi ran mewn gwleidyddiaeth ac economeg. Y mae'n rhaid i eglwys sy'n mynnu'r byd i Grist fod dros ei phen a'i chlustiau yn y byd gwleidyddol.

Donald Soper

445. Cristnogaeth

I mi, y mae a wnelo Cristnogaeth â'r Deyrnas ac nid â'r Eglwys; y mae a wnelo â thwf a datblygiad dynol, ac nid twf a datblygiad eglwysig.

Michael Taylor

446. Cariad a heddwch

Pa gymdeithas arall sydd ag offeryn dychrynllyd poenydio a marwolaeth yn symbol – yn enwedig o ystyried mai'r hyn sydd i fod yn nodau'r gymdeithas honno yw cariad a heddwch?

David Watson

447. Yr aelodau

Y mae rhai eglwysi, fel rhai priodasau, lle nad oes neb yn ymddangos yn hapus os nad yw'r aelodau yng ngyddfau'i gilydd.

Walter Wink

448. Lle i un arall

Peidiwch â chadw draw o'r Eglwys am fod cymaint o ragrithwyr. Y mae lle bob amser i un arall.

Anhysbys

449. Dymuno bod yn well

Nid pobl sy'n well nag eraill yw'r Eglwys, ond pobl sy'n dymuno bod yn well nag ydynt.

Anhysbys

450. Pobl a phraidd

Nid yw'r eglwys fyth yn lleoliad, ond bob amser yn bobl; byth yn gorlan, ond bob amser yn braidd; byth yn adeilad cysegredig, ond bob amser yn gymdeithas o gredinwyr. Yr Eglwys ydych chi sy'n gweddïo, nid y lle y gweddïwch. Ni all adeilad o gerrig a marmor fyth fod yn fwy o eglwys nag y gall eich dillad o frethyn a sidan fod chi eich hunan. Nid oes yn y byd ddim sy'n gysegredig ond dyn, dim cysegr Duw ond yr enaid.

Anhysbys

451. Bywyd newydd

Nid sefydliad yw'r Eglwys; bywyd newydd ydyw gyda Christ ac yng Nghrist, o dan arweiniad yr Ysbryd Glân.

Sergius Belgakov

452. Un cnawd

Y mae Crist a'r Eglwys yn ddau yn yr un cnawd.

Awstin Sant

453. Atgyfodiad

Ni all gosod pob corff eglwysig yn yr un fynwent esgor ar atgyfodiad.

D. Martyn Lloyd-Jones

454. Gwir eglwys

Nid yw eglwys nad yw'n dioddef erledigaeth ond yn mwynhau cefnogaeth pethau'r ddaear – gwylier! – yn wir eglwys Iesu Grist. Nid pregethu'r Efengyl mo'r pregethu nad yw'n sôn am bechod. Y mae pregethu sy'n peri i bechaduriaid deimlo'n dda, fel eu bod yn teimlo'n ddiogel yn eu stad bechadurus, yn gwadu galwad yr Efengyl.

Oscar Romero

455. I'r Gweddill

Fel angor i long mewn tymestl,
felly yw teyrngarwch y rhai ffyddlon
yn awr y difaterwch.
Fel mur cadarn yn amser ymosodiad,
felly yw eu ffyddlondeb hwy
pan fo uchel sŵn yr herio.
Gwynfydedig ydynt
oherwydd eu cydwybod dda
a'u llafur yn yr hen winllannoedd.
Ni fynnant weld yr etifeddiaeth mewn sarhad,
na'r dystiolaeth o dan y cwmwl.
Tystion i'r Arglwydd ydynt
yn eu sêl ddiysgog
a'u dyfalwch wrth loywi'r trysor.
Ni ddiffydd fflam Gwirionedd yn eu bro,
cans cryfion ydynt mewn cred
a'u gobaith sy'n goleuo ffenestri'r seintwar.
O'u plegid hwy
bydd eto sain gorfoledd yn y pyrth
a llonder yng nghartrefi'r tir.
Eu ffydd a geidw'r llwybrau yn agored
fel na fydd ofer chwilio
pan gilio'r cysgod.
Tynnant y dŵr o ffynhonnau doe
i gawgiau'r heddiw blin,
a bydd yfory'n gwybod gwerth y gamp.
Talwn iddynt wrogaeth wiw,
cans hwy sy'n braenaru'r meysydd
i gynhaeaf yr Ysbryd Glan.

W. Rhys Nicholas

456. Cri'r gorthrymedig

Pan yw'r eglwys yn clywed cri'r gorthrymedig, ni all ond condemnio'r
strwythurau cymdeithasol sy'n creu ac yn cynnal y diflastod sy'n
achosi'r gri.

Òscar Romero

457. Tân yn y pulpud

Y ffordd orau i adfywio eglwys yw cynnau tân yn y pulpud.

Dwight L. Moody

458. Crist yw ein teml

Crist yw ein teml, lle mae pob crediniwr yn cyfarfod trwy ffydd.

Matthew Henry

459. Rhybuddio a chymell

Mae rhai yn farw; rhaid eu dihuno. Mae rhai'n flinderus; rhaid i chwi eu cysuro. Mae eraill yn feichus; rhaid i chwi eu cyfeirio at gariwr beichiau. Mae eraill eto mewn dryswch; rhaid i chwi eu goleuo. Mae eraill drachefn yn ddiofal a difater; rhaid i chwi eu rhybuddio a'u cymell.

Charles Spurgeon

460. Araf i weithredu

Gan amlaf, y rhai parotaf i addo yw'r arafaf i weithredu.

Charles Spurgeon

461. Llosgi'n dda

Byddai rhai gweinidogion yn gwneud merthyron gwych. Maent mor sych, fe losgent yn dda.

Charles Spurgeon

462. Un Eglwys

Y mae'r Eglwys mewn unrhyw wlad yn methu bod yn Eglwys heb iddi gofio fod gan ei haelodau mewn un genedl gymdeithas gyda'i haelodau ym mhob cenedl.

George Bell

463. Undeb eglwysig

Nid wyf yn frwd iawn dros undeb eglwysig os yw'n golygu unffurfiaeth.

Raymond Brown

464. Eglwys Genhadol

Y mae'r Eglwys yn bodoli drwy genhadaeth, fel y mae tân yn bodoli drwy losgi.

Emil Brunner

465. Hierarchiaeth offeiriadol
Does dim lle i hierarchaeth offeiriadol yn yr Eglwys.

Harvey Cox

466. Yn wahanol i'r byd
Pan yw'r Eglwys yn gwbl wahanol i'r byd, y mae gan amlaf yn denu'r byd.

D. Martyn Lloyd-Jones

467. Pregethu'r Efengyl
Wrth bregethu'r Efengyl, gwyliwch rhag ei phregethu fel y grefydd sy'n egluro popeth.

Albert Schweitzer

468. Caru pregethu
Y mae caru pregethu yn un peth – y mae caru'r sawl yr ydym yn pregethu iddynt yn rhywbeth arall.

Richard Cecil

469. Pregethu
Does dim pwrpas cerdded i unman i bregethu os nad ein cerdded yw ein pregethu.

Ffransis o Asissi

470. Gwasanaethu Duw
Nid yw'n weddus yng ngwasanaeth Duw i feddu ar wyneb diflas ac edrychiad oeraidd.

Ffransis o Asissi

471. Ceisiwch eneidiau
Ceisiwch eneidiau. Ceisiwch eneidiau a cheisiwch y gwaethaf.

William Booth

472. Yn deilwng
Rwy'n diolch i'n Duw am hyn; fy mod yn cael fy ystyried yn deilwng o fod ymhlith y rhai y mae'r byd yn eu casáu.

Jerôm

473. Eich Duw chwi

Na frysied plant y genhedlaeth hon i ymwrthod â'r ffydd a draddodwyd unwaith i'w tadau, a thrachefn iddynt hwythau gan eu tadau. Yn hytrach, dyweded pob un wrth ei dadau, "Eich Duw chwi a fydd fy Nuw i, a'ch pobl chwi fydd fy mhobl innau". Nid eich annog yr ydwyf i lynu wrth eich tadau trwy'r tew a'r tenau, eithr wrth Arglwydd Dduw eich tadau; nac i lynu wrth gyfundeb neilltuol chwaith, eithr wrth bobl Dduw, sef y rhai tebycaf iddo ym mhob cyfundeb.

Emrys ap Iwan

Y Bywyd Cristnogol

474. Gwyn eu byd

Pan welodd Iesu y tyrfaoedd, aeth i fyny'r mynydd, ac wedi iddo eistedd i lawr daeth ei ddisgyblion ato. Dechreuodd eu hannerch a'u dysgu fel hyn: "Gwyn eu byd y rhai sy'n dlodion yn yr ysbryd, oherwydd eiddynt hwy yw teyrnas nefoedd. Gwyn eu byd y rhai sy'n galaru, oherwydd cânt hwy eu cysuro. Gwyn eu byd y rhai addfwyn, oherwydd cânt hwy etifeddu'r ddaear. Gwyn eu byd y rhai sy'n newynu a sychedu am gyfiawnder, oherwydd cânt hwy eu digon. Gwyn eu byd y rhai trugarog, oherwydd cânt hwy dderbyn trugaredd. Gwyn eu byd y rhai pur eu calon, oherwydd cânt hwy weld Duw. Gwyn eu byd y tangnefeddwyr, oherwydd cânt hwy eu galw'n blant i Dduw. Gwyn eu byd y rhai a erlidiwyd yn achos cyfiawnder, oherwydd eiddynt hwy yw teyrnas nefoedd. Gwyn eich byd pan fydd pobl yn eich gwaradwyddo a'ch erlid, ac yn dweud pob math o ddrygair celwyddog yn eich erbyn, o'm hachos i. Llawenhewch a gorfoleddwch, oherwydd y mae eich gwobr yn fawr yn y nefoedd; felly yn wir yr erlidiwyd y proffwydi oedd o'ch blaen chwi. Chwi yw halen y ddaear; ond os cyll yr halen ei flas, â pha beth yr helltir ef? Nid yw'n dda i ddim bellach ond i'w luchio allan a'i sathru dan draed. Chwi yw goleuni'r byd. Ni ellir cuddio dinas a osodir ar fryn. Ac nid oes neb yn goleuo cannwyll ac yn ei rhoi dan lestr, ond yn hytrach ar ganhwyllbren, a bydd yn rhoi golau i bawb sydd yn y tŷ. Felly boed i'ch goleuni chwithau lewyrchu gerbron eraill, er mwyn iddynt weld eich gweithredoedd da chwi a gogoneddu eich Tad, yr hwn sydd yn y nefoedd.

Mathew 5:1–16

475. Y mae Ysbryd yr Arglwydd arnaf

Daeth i Nasareth, lle yr oedd wedi ei fagu. Yn ôl ei arfer aeth i'r synagog ar y dydd Saboth, a chododd i ddarllen. Rhoddwyd iddo lyfr y proffwyd Eseia, ac agorodd y sgrôl a chael y man lle'r oedd yn ysgrifenedig: "Y mae Ysbryd yr Arglwydd arnaf, oherwydd iddo f'eneinio i bregethu'r newydd da i dlodion. Y mae wedi f'anfon i gyhoeddi rhyddhad i garcharorion, ac adferiad golwg i ddeillion, i beri i'r gorthrymedig gerdded yn rhydd, i gyhoeddi blwyddyn ffafr yr Arglwydd."

Luc 4:16–19

476. Mab y Dyn

"Pan ddaw Mab y Dyn yn ei ogoniant, a'r holl angylion gydag ef, yna bydd yn eistedd ar orsedd ei ogoniant. Fe gesglir yr holl genhedloedd ger ei fron, a bydd ef yn eu didoli oddi wrth ei gilydd, fel y mae bugail yn didoli'r defaid oddi wrth y geifr, ac fe esyd y defaid ar ei law dde a'r geifr ar y chwith. Yna fe ddywed y Brenin wrth y rhai ar y dde iddo, 'Dewch, chwi sydd dan fendith fy Nhad, i etifeddu'r deyrnas a baratowyd ichwi er seiliad y byd. Oherwydd bûm yn newynog a rhoesoch fwyd imi, bûm yn sychedig a rhoesoch ddiod imi, bûm yn ddieithr a chymerasoch fi i'ch cartref; bûm yn noeth a rhoesoch ddillad amdanaf, bûm yn glaf ac ymwelsoch â mi, bûm yng ngharchar a daethoch ataf.' Yna bydd y rhai cyfiawn yn ei ateb: 'Arglwydd', gofynnant, 'pryd y'th welsom di'n newynog a'th borthi, neu'n sychedig a rhoi diod iti? A phryd y'th welsom di'n ddieithr a'th gymryd i'n cartref, neu'n noeth a rhoi dillad amdanat? Pryd y'th welsom di'n glaf neu yng ngharchar ac ymweld â thi?' A bydd y Brenin yn eu hateb, 'Yn wir, 'rwy'n dweud wrthych, yn gymaint ag ichwi ei wneud i un o'r lleiaf o'r rhain, fy nghymrodyr, i mi y gwnaethoch.' Yna fe ddywed wrth y rhai ar y chwith, 'Ewch oddi wrthyf, chwi sydd dan felltith, i'r tân tragwyddol a baratowyd i'r diafol a'i angylion. Bûm yn newynog ac ni roesoch fwyd imi, bûm yn sychedig ac ni roesoch ddiod imi; bûm yn ddieithr ac ni chymerasoch fi i'ch cartref, yn noeth ac ni roesoch ddillad amdanaf, yn glaf ac yng ngharchar ac nid ymwelsoch â mi.' Yna atebant hwythau: 'Arglwydd', gofynnant, 'pryd y'th welsom di'n newynog neu'n sychedig neu'n ddieithr neu'n noeth neu'n glaf neu yng ngharchar heb weini arnat?' A bydd ef yn eu hateb, 'Yn wir, rwy'n dweud wrthych, yn gymaint ag ichwi beidio â'i wneud i un o'r rhai lleiaf hyn, nis gwnaethoch i minnau chwaith.' Ac fe â'r rhain ymaith i gosb dragwyddol, ond y rhai cyfiawn i fywyd tragwyddol."

Mathew 25:31–46

477. Un call

Pob un felly sy'n gwrando ar y geiriau hyn o'r eiddof ac yn eu gwneud,
fe'i cyffelybir i un call, a adeiladodd ei dŷ ar y graig.

Mathew 7:24

478. Ie a nage

Ond boed eich 'ie' yn 'ie', a'ch 'nage' yn 'nage'; beth bynnag sy'n
ychwanegol at hyn, o'r Un drwg y mae.

Matthew 5:37

479. Ffydd heb amheuaeth

Atebodd Iesu hwy, "Yn wir, rwy'n dweud wrthych, os bydd gennych
ffydd, heb amau dim, nid yn unig fe wnewch yr hyn a wnaed i'r
ffigysbren, ond hyd yn oed os dywedwch wrth y mynydd hwn, 'Coder
di a bwrier di i'r môr', hynny a fydd. A beth bynnag oll y gofynnwch
amdano mewn gweddi, os ydych yn credu, fe'i cewch."

Mathew 21:21–22

480. Ffydd fel hedyn mwstard

Ac meddai'r Arglwydd, "Pe bai gennych ffydd gymaint â hedyn
mwstard, fe allech ddweud wrth y forwydden hon, 'Coder dy wreiddiau
a phlanner di yn y môr', a byddai'n ufuddhau i chwi."

Luc 17:6

481. Myfi a'r Tad

Credwch fi pan ddywedaf fy mod i yn y Tad, a'r Tad ynof fi; neu ynteu
credwch ar sail y gweithredoedd eu hunain. Yn wir, yn wir, rwy'n
dweud wrthych, bydd pwy bynnag sy'n credu ynof fi hefyd yn gwneud
y gweithredoedd yr wyf fi'n eu gwneud; yn wir, bydd yn gwneud rhai
mwy na'r rheini, oherwydd fy mod i'n mynd at y Tad.

Ioan 14:11–12

482. Dim cywilydd o'r Efengyl

Nid oes arnaf gywilydd o'r Efengyl, oherwydd gallu Duw yw hi ar
waith er iachawdwriaeth i bob un sy'n credu, yr Iddewon yn gyntaf a
hefyd y Groegiaid. Ynddi hi y datguddir cyfiawnder Duw, a hynny
trwy ffydd o'r dechrau i'r diwedd, fel y mae'n ysgrifenedig: "Y sawl
sydd trwy ffydd yn gyfiawn a gaiff fyw."

Rhufeiniaid 1:16–17

483. Rhodio trwy ffydd

Oherwydd yn ôl ffydd yr ydym yn rhodio, nid yn ôl golwg.

2 Corinthiaid 5:7

484. Y gorchymyn newydd

Yr wyf yn rhoi i chwi orchymyn newydd: carwch eich gilydd. Fel y cerais i chwi, felly yr ydych chwithau i garu'ch gilydd. Os bydd gennych gariad tuag at eich gilydd, wrth hynny bydd pawb yn gwybod mai disgyblion i mi ydych.

Ioan 13:34–35

485. Cariad diragrith

Bydded eich cariad yn ddiragrith. Casewch ddrygioni. Glynwch wrth ddaioni. Byddwch wresog yn eich serch at eich gilydd fel cymdeithas. Rhowch y blaen i'ch gilydd mewn parch. Yn ddiorffwys eich ymroddiad, yn frwd eich ysbryd, gwasanaethwch yr Arglwydd. Llawenhewch mewn gobaith. Safwch yn gadarn dan orthrymder. Daliwch ati i weddïo. Cyfrannwch at reidiau'r saint, a byddwch barod eich lletygarwch. Bendithiwch y rhai sy'n eich erlid, bendithiwch heb felltithio byth. Llawenhewch gyda'r rhai sy'n llawenhau, ac wylwch gyda'r rhai sy'n wylo. Byddwch yn gytûn ymhlith eich gilydd. Gochelwch feddyliau mawreddog; yn hytrach, rhodiwch gyda'r distadl. Peidiwch â'ch cyfrif eich hunain yn ddoeth. Peidiwch â thalu drwg am ddrwg i neb. Bydded eich amcanion yn anrhydeddus yng ngolwg pawb. Os yw'n bosibl, ac os yw'n dibynnu arnoch chwi, daliwch mewn heddwch â phawb. Peidiwch â mynnu dial, gyfeillion annwyl, ond rhowch ei gyfle i'r digofaint dwyfol, fel y mae'n ysgrifenedig: " 'Myfi piau dial, myfi a dalaf yn ôl', medd yr Arglwydd." Yn hytrach, os bydd dy elynion yn newynu, rho fwyd iddynt; os byddant yn sychedu, rho iddynt beth i'w yfed. Os gwnei hyn, byddi'n pentyrru marwor poeth ar eu pennau. Paid â goddef dy drechu gan ddrygioni. Trecha di ddrygioni â daioni.

Rhufeiniaid 12:9–21

486. Cariad

Os llefaraf â thafodau meidrolion ac angylion, a heb fod gennyf gariad, efydd swnllyd ydwyf, neu symbal aflafar. Ac os oes gennyf ddawn proffwydo, ac os wyf yn gwybod y dirgelion i gyd, a phob gwybodaeth, ac os oes gennyf gymaint o ffydd nes gallu symud mynyddoedd, a heb fod gennyf gariad, nid wyf ddim. Ac os rhof fy holl feddiannau i borthi eraill, ac os rhof fy nghorff yn aberth, a hynny er mwyn ymffrostio, a heb fod gennyf gariad, ni wna hyn ddim lles imi. Y mae cariad yn amyneddgar; y mae cariad yn gymwynasgar; nid yw cariad yn cenfigennu, nid yw'n ymffrostio, nid yw'n ymchwyddo. Nid yw'n gwneud dim sy'n anweddus, nid yw'n ceisio ei ddibenion ei hun, nid yw'n gwylltio, nid yw'n cadw cyfrif o gam; nid yw'n cael llawenydd mewn anghyfiawnder, ond y mae'n cydlawenhau â'r gwirionedd. Y mae'n goddef i'r eithaf, yn credu i'r eithaf, yn gobeithio i'r eithaf, yn dal ati i'r eithaf. Nid yw cariad yn darfod byth. Ond proffwydoliaethau, fe'u diddymir hwy; a thafodau, bydd taw arnynt hwy; a gwybodaeth, fe'i diddymir hithau. Oherwydd anghyflawn yw ein gwybod ni, ac anghyflawn ein proffwydo ni. Ond pan ddaw'r hyn sy'n gyflawn, fe ddiddymir yr hyn sy'n anghyflawn. Pan oeddwn yn blentyn, fel plentyn yr oeddwn yn llefaru, fel plentyn yr oeddwn yn meddwl, fel plentyn yr oeddwn yn rhesymu. Ond wedi dod yn ddyn, yr wyf wedi rhoi heibio bethau'r plentyn. Yn awr, gweld mewn drych yr ydym, a hynny'n aneglur; ond yna cawn weld wyneb yn wyneb. Yn awr, anghyflawn yw fy ngwybod; ond yna, caf adnabod fel y cefais innau fy adnabod. Mewn gair, y mae ffydd, gobaith, cariad, y tri hyn, yn aros. A'r mwyaf o'r rhain yw cariad.

1 Corinthiaid 13:1–13

487. Y Da a'r Gwir

Y mae rhai sydd yn caru Duw'r Gwirionedd yn ddidwyll, yn caru Gwirionedd Duw yn ddidwyll.

Ni ddylai gŵr ganmol ei weithredoedd, ond gweithredoedd gŵr a ddylai ei ganmol ef.

Pechodau athrawon yw athrawon pechodau.

Nid yw'r gwirionedd yn aros yn y rhai nad ydynt yn aros yn y gwirionedd.

Gwaith heb ffydd ni thycia,
A ffydd heb waith a balla.

Nid oes ewyllys daionus gan y dyn nad yw yn ewyllysio daioni.

Gwell yw dodi cymeriad mewn perygl, i gadw cydwybod dda, na dodi cydwybod dda mewn perygl, i gadw cymeriad.

Deuparth pob gwaith yw ei ddechrau, os y dechrau a fydd da.

Y mae'r saint yn ddyledwyr i bawb, a phawb yn ddyledwyr i'r saint.

Rhys Prydderch

488. Meddyliau

Y dyn nad oes ganddo lawer o feddyliau, dyn cul yw; a'r dyn nad oes ganddo un meddwl cyffredinol yn cyfuno ac yn llywodraethu ei holl feddyliau neilltuol, dyn aneffeithiol yw.

Ni all cariad wneud digon heb wneud mwy na digon. Gwneud cymaint ag a ellir, nid gwneud cymaint ag sy ddigonol yw ei reol ef.

Ai sôn yr ydys am bregethu "efengylaidd"? Peidiwn â chamarfer gair da. Pregethu fel pregethu'r Iesu yw'r pregethu gwir efengylaidd; pregethu a oedd yn ymdrin yn ddiymannerch â dynion fel yr oeddynt, ac nid ag athrawiaethau pell wedi eu cymylu â thermau diwinyddol ... Yr ydym wedi cael allan er ys talm fod yn rhatach i ni gredu fel Calvin na rhodio fel Crist.

Fe fynnai efe i ni astudio'r greadigaeth fel Cristnogion ac nid fel gwyddoniaid yn unig. Gall y gwyddon ganfod deddfau ynddi, ond y mae'r Cristion yn canfod Duw ynddi. Y mae efe yn gweld rhannau o ffyrdd ac o natur yr anfeidrol ym mhob golygfa. Fe fydd Duw yn ymrithio o'i flaen yn y fellten ac yn ymwthio i'w olwg ym mhob llygedyn haul; yn taranu â'i lais yn rhyfedd, ac yn sibrwd ym mhob ton ar fôr; yn tynnu ei anadl ym mhob chwa o wynt, ac yn ei ollwng allan ym mherarogl pob blodeuyn.

Emrys Ap Iwan

489. Marwolaeth Sant

Dydd Sul y canodd Dewi offeren ac y pregethodd i'r bobl, a'i gyfryw ni chlywyd, ac wedi ef byth ni chlywir ... Ac wedi darfod y bregeth ac offeren y rhoddes Dewi yn gyffredin ei fendith i bawb a'r a oedd yna. Ac wedi darfod iddo roddi ei fendith i bawb y dywad yr ymadrodd hwn: "Arglwyddi, frodyr a chwiorydd, byddwch lawen, a chedwch eich ffydd a'ch cred, a gwnewch y pethau bychain a glywsoch ac a welsoch gennyf i. A minnau a gerddaf y ffordd yr â ein tadau iddi. Ac yn iach ichwi," ebe Dewi, "a boed grymus ichwi fod ar y ddaear ..."

A hynny dydd Mawrth y dydd cyntaf o Galan Mawrth, y cymerth Iesu Grist enaid Dewi Sant gyda mawr fuddugoliaeth a llawenydd ac anrhydedd. Wedi ei newyn a'i syched a'i annwyd a'i lafuriau a'i ddirwest a'i gardodau a'i flinder a'i drallod a'i brofedigaethau a'i feddwl am y byd – y cymerth yr angylion ei enaid ac a'i dygant heb lafur, a llawenydd heb dristyd, ac amledd o bob rhyw dda a buddugoliaeth a chlaerder a thegwch; y lle y mae moliant rhyswyr [milwyr] Crist, a lle yr esgeulusir y cyfoethogion drwg, y lle y mae iechyd heb ddolur, ac ieuenctid heb henaint, a thangnefedd heb anundeb, a gogoniant heb orwagedd, a cherddau heb flinder, a gwobrwyau heb ddiwedd.

Buchedd Dewi

490. Gwyleidd-dra Cristionogol

Y mae cydnabod mai Duw, ac nid dyn, yw Arglwydd y Greadigaeth yn dwyn gwyleidd-dra a pharch at holl waith y Creawdwr yn y byd o'n cwmpas sy'n prysur ddiflannu o'n bywyd. Y mae adfer y gwyleidd-dra a'r parch hwn yn amod iechyd cymdeithasol ...

Y mae Arglwyddiaeth Crist felly yn anghenraid iechyd cymdeithasol am fod y gwagle a grëir gan ddinistr y safonau Cristnogol yn cael eu llenwi gan safonau a olyga ddiwedd ar ddynoliaeth dyn. Y mae'n rhaid wrth safonau y mae eu sail yn dragwyddol. Ni all dyn greu safonau absoliwt iddo'i hun am mai creadigaeth ddynol a fyddent, ac ni all yr hyn a grea dyn fyth fod yn awdurdod terfynol arno.

Ffrwyth y ffydd Gristnogol yw hynny o barch sy'n bod yn Ewrop heddiw at ddyn, ac fel y diflanna'r ffydd gellir gweld ei ffrwyth hefyd yn diflannu. Ac yn y dyddiau hyn, pan yw popeth yn ddrud ond bywyd, gorfodir ni i sylweddoli, fel y dywed Berdyaev, mai Cristnogaeth yn unig yn y pen draw a saif dros ddyn a'r ddynoliaeth, dros werth ac urddas personoliaeth, dros ryddid, cyfiawnder cymdeithasol, dros frawdoliaeth dyn a chenhedloedd. Cofiwn mai Cristnogol yw gwraidd gweriniaeth ym Mhrydain, ac erys yn unig sail safadwy iddo, canys ymdrech ydyw gweriniaeth ar ei gorau i roi i'r person unigol ei le dyladwy yn y drefn wleidyddol. Ni allwn ofyn i ddynion fod yn Gristnogion er mwyn diogelu rhyddid a gweriniaeth, ac ni allent fod yn Gristnogion am y rhesymau hynny hyd yn oed pe dymunent fod; ond dylem fod yn fwy egnïol yn ein cymhwysiad o'r safonau Cristnogol yn y ffyrdd hyn.

Gwynfor Evans

491. Cyngor Abel Hughes

"Mae calon dyn wrth natur," ebe Abel, "yn amddifad, gwag, ac ar ôl ei ddeffro yn dyheu yn feunyddiol. Ond y mae perygl – yn enwedig i ddyn sydd wedi darllen a myfyrio tipyn – mae perygl, meddaf, iddo fynd i fyw ar freuddwydion ei galon, a thybio fod hynny yn grefydd. Cymer ofal mawr rhag hyn. Mewn llawer amgylchiad dyma ydyw crefydd yr amheuwr; oblegid fel rheol nid ymhlith y dosbarth anllythrennog, anwybodus y cei di amheuwr, ond ymhlith y dosbarth darllengar, myfyrgar ... Mae rhyw bobl yn ymdroi ynddynt eu hunain mewn myfyrdod pruddglwyfus, sentimental, a'u huchelfannau ydyw ocheneidiau a dagrau. Nid crefydd ydyw peth felly. Y mae crefydd yn beth mwy ymarferol na hynny. Rhyw fyned allan ohonot ti dy hun yn barhaus ydyw crefydd. 'Teyrnas Dduw o'ch mewn chwi y mae' yn sicr ddigon; ond y mae ei mynediad allan fel ei Hawdur, er dyddiau tragwyddoldeb. Mi dderbynni fwy o les i dy enaid mewn un diwrnod wrth edrych ar Grist, a cheisio gwneud yr hyn a orchmynnodd Efe, na phe bait yn edrych i mewn i ti dy hun am gan mlynedd. A wyddost ti? Pan fyddi wedi ymgolli mewn awydd i wneud dyletswyddau cyffredin bywyd fel gwasanaeth i Dduw, mai'r adeg honno yr wyt yn fwyaf crefyddol.

Daniel Owen

492. Ef ydw Ef

> Ef ydyw Ef, a chariad dan ei fron
> Fel berw ymhlith ei holl feddyliau i gyd,
> A hwnnw'n bwrw i'r wyneb don ar don
> O angerdd ar hyd traethau broc ein byd,
> A bwrw'r nawfed don ar Galfari,
> A'r llong ymwared ar ei hewyn hi.

Gwenallt

493. Caru hyd yr eithaf

A welsoch chi rywun yn caru hyd yr eithaf heb garu hyd farw? Onid oedd rhaid i Grist ddioddef, ac yntau yn caru? Onid oedd rhaid i'r Tad ei ddryllio ef? Rhaid cariad ydoedd hwn; canys ni all cariad wneud digon heb wneud mwy na digon. Gwneud cymaint ag a ellir, ac nid gwneud cymaint ag sy ddigonol yw ei reol ef.

Emrys ap Iwan

494. Cariad yw ffynhonnell ffydd a gobaith

Cariad yw ffynhonnell ffydd a gobaith. Oherwydd ei gariad y gwnaeth Duw'r hyn a wnaed ar Galfaria; oherwydd ei gariad y mae'n darparu pethau gwell i'r rhai a'i carant Ef. Ryw ddydd fe dderfydd ein ffydd gan roi lle i sicrwydd, ac fe dderfydd gobaith gan roi lle i lawenydd; eithr ni dderfydd cariad gan nad oes dim amgenach nag ef i roi lle iddo.

T. Glyn Thomas

495. Lle nad oes cariad

Lle nad oes cariad, tywallt di gariad i mewn, ac fe dynni di gariad allan.

Sant Ioan y Groes

496. Er mwyn y gras a ddaeth i ni

> Er mwyn y gras a ddaeth i ni
> O'th ddwyfol aberth drud
> Gwna'n cariad fel dy gariad Di,
> I gynnwys yr holl fyd.

Elfed

497. Pob un ohonom yn rhan

Mae pob un ohonom yn rhan o'r cyfandir
yn rhan o'r tir mawr;
nid ynys mo neb ohonom.
Dynion ydym, a gwragedd, un aelwyd fyd-eang,
yn gydgyfrannog o fywyd y tir mawr
ein teulu
ein cymdogaeth
ein cymuned
ein cenedl
ein cymuned o genhedloedd
Does neb ohonom yn ynys.

M. A. Thomas (cyf. Cyril G. Williams)

498. Saint heb seiat

Y mae saint heb seiat yn unigiaeth; y mae seiat heb saint yn glwb.

Philip Jones

499. Y Gymdeithas Gristnogol

Ni sefydlodd yr Iesu eglwys yn yr ystyr ffurfiol o greu cymdeithas o dan ffurfiau a rheolau arbennig. Ond fe greodd y gymdeithas Gristnogol trwy greu dynion o'r newydd ar ddelw ei fywyd a'i aberth ei hunan. Lle bynnag y byddo dau neu dri o ddynion yn byw gyda'i gilydd o dan ddeddf rhyddid cariad, safant o angenrheidrwydd mewn dau fath ar berthynas gymdeithasol: (1) mewn perthynas o gariad a gwasanaeth y naill tuag at y llall, a (2) mewn perthynas o gariad, gwasanaeth ac aberth tuag at y byd o'u hamgylch, na thâl gariad yn ôl am gariad. Felly, daw'r eglwys i fod yn naturiol ac angenrheidiol fel cymdeithas ar wahân oddi wrth y byd, ond yn byw i garu ac aberthu er ei fwyn.

Thomas Rees

500. Byw'r Bywyd

A ellir byw'r bywyd rhyfedd hwn o dan amgylchiadau heddiw? Sut yr ydym i wybod hynny? Y ffordd i wybod yw mynd i gwmni'r rhai sydd yn ei fyw. A'r rhai hynny yw aelodau eglwys Iesu Grist. Rhaid gan hynny, inni ein cysylltu ein hunain ag eglwys Iesu Grist, a gofalu bod yn ffyddlon i gymdeithas y bobl sy'n casglu at ei gilydd i siarad am y bywyd hwn, ac i wrando amdano, ac i ofyn am nerth i'w fyw, ac i'w weld ar ei orau yn Iesu Grist, ac i helpu'r naill a'r llall i wneud chwarae teg ag ef.

E. Tegla Davies

501. Cymeriad i'w edmygu

Y mae'n werth sylwi ar y math o gymeriad y mae Iesu yn ei edmygu. Pa sawl un o'r damhegion sy'n troi o amgylch y syniad o egni? Mae dameg y talentau yn delio â'r meddwl egnïol a'r gweithredu pendant; a dyna'r pethau y mae Iesu yn eu hedmygu; y weddw a fynnai gael cyfiawnder; y genethod a gynlluniodd ymlaen llaw gan gofio dod ag olew ychwanegol; y dyn diwyd hwnnw a ddarganfu'r trysor ac a wnaeth yn siŵr ei fod yn ei feddiannu; y cyfaill ganol nos a gurodd drachefn a thrachefn nes iddo gael ei dorthau ...

T. R. Glover

502. Adnewyddu ein ffydd

Rhaid adnewyddu ein ffydd, ein gobaith, ein cariad ni, bob yn un ac un. Gelwir ar bawb ohonom i geisio sylweddoli drwy ras Duw, y fath weddnewidiad ynom ein hunain, ac yn holl gylchoedd ein bywyd beunyddiol mewn cartref a gweithdy, mewn capel ac eglwys, mewn coleg ac ysgol, ar y ffald ac ar y ffordd, a ddygo orfoledd o gyfeillgarwch, o frawdgarwch ac o gariad i bawb o'r rhai y tery ein llygaid arnynt. Heb ddeall hyn, ni ddichon i ni gymaint â dechrau deall dim o bwys, o leiaf dim oll o bwys ynglŷn ag atgyweirio ein bywyd ein hunain, heb sôn am adnewyddu bywyd yr Eglwys, a bywyd y byd y mae'r Efengyl yn ddylanwad mor resynus o ddiymadferth ynddo, ac yn ddelw mor gwbl annheilwng o'i Phen a'i Phriod. Duw a faddeuo, a ddysgo ac a oleuo; ac a'n dygo i edifarhau, i dderbyn y Bywyd newydd, ac i ymlenwi â'i Ysbryd Ef.

Ambrose Bebb

503. Gorfoleddu mewn gorthrymderau

Y mae'r iach yn gallu troi'r hyn na fyddai ond blinder digymysg i'r afiach yn foddion mwy o iechyd a llawnder bywyd, ac y mae hynny'n wobr bur fawr am fod yn iach, a teimlo y medrwch ddarostwng anawsterau i'ch mantais eich hun.

Y mae'r un peth yn union yn wir am y rhai sy'n byw'r bywyd newydd y soniwn amdano. Dywedir pethau rhyfedd amdanynt yn y Testament Newydd, dywedir eu bod yn 'gorfoleddu mewn gorthrymderau' (Rhuf. 5:3) a'u tristwch yn troi'n llawenydd (Ioan 16:20). Poen, blinder, afiechyd corff, sy'n gymaint o arswyd i eraill, y maent hwy yn medru eu troi yn hyfrydwch, fel y dyn iach yn troi bwyd a chaledrwydd gwaith, sy'n wenwyn a lladdfa i'r afiach, yn gryfder iddo'i hun, neu dynnu llawenydd o ddringo mynyddoedd a fyddai'n ysigfa i'r llall.

E. Tegla Davies

504. Trwy ffydd

Trwy ffydd y mae'r pechadur yn derbyn gras oddi wrth Dduw; trwy gariad y mae'n cysegru ei hun i Dduw mewn canlyniad i'r hyn a dderbyniwyd ganddo; trwy obaith y mae'n edrych ymlaen am gyflawniad o addewidion Duw iddo, a gorffeniad y gwaith da sydd wedi ei ddechrau ynddo. Ffydd ydyw'r gwreiddyn, cariad a'i weithredoedd yw'r ffrwyth; gobaith ydyw'r brigau uchaf sydd yn ymgyrraedd hyd y nefoedd.

Y Gwyddoniadur

505. Cyfraith Crist

Mae rhyddid yntau yn ymddiriedaeth. Rhaid mynd ymhellach a gofyn beth fydd dylanwad y rhyddid a hawliwn arnom ni ac eraill, yn enwedig ar gymeriadau gwannach na ni ein hunain. Rhaid i ni gofio bod y brawd gwan yntau'n un y bu Crist farw drosto. Gwyliwn rhag i'n rhyddid fod yn dramgwydd i'r gweinion gan gofio bod gwneud cam â chyd-ddyn yn golygu gwneud cam â'r Crist ei hun. Wrth ddwyn beichiau ein gilydd yr ydym yn cyflawni cyfraith Crist.

T. Glyn Thomas

506. Rhyddid

Gellir dosrannu'n fras ymdrechion gwareiddid y Gorllewin i gyfieithu rhinweddau personol yn werthoedd cymdeithasol wrth grybwyll y triawd adnabyddus – rhyddid, cydraddoldeb a brawdoliaeth. Pwy all fesur ymdrech yr oesoedd i sicrhau rhyddid, a phwy all gyfrif y pechodau erchyll a gyflawnwyd yn ei enw? ... Nid yw rhyddid ynddo'i hun yn ddelfryd digon uchel i deilyngu aberth dynion. Yn y pen draw nid yw rhyddid yn golygu dim ond diystyrwch hollol o hawliau dynion eraill.

Dyna paham y bu'n rhaid i'r gwleidyddwyr clasurol fel John Stuart Mill ychwanegu mai i'r graddau yn unig nad oedd yn ymyrryd â rhyddid neb arall yr oedd gan ddyn hawl i'w ryddid ei hun.

Oswald R. Davies

507. Cwrteisi
Gwybydd, frawd annwyl, fod cwrteisi yn un o briodoleddau Duw ei hun. Y mae ef o'i gwrteisi yn anfon ei law i'r cyfiawn a'r anghyfiawn fel ei gilydd. Chwaer cariad yw cwrteisi - mae'n diffodd casineb ac yn cadw cariad yn fyw.

Sant Ffransis

508. Haelionusrwydd
Mae haelionusrwydd yn addas iawn i bechadur a gafodd ei achub yn rhad, ac sydd yn derbyn yn helaeth, y cwbl yn rhad bob munud o law Duw.

Thomas Charles

509. Trugaredd
Perygl mawr pobl sy'n ymroi i weithredoedd cymwynasgar yw edrych ar y gwan a'r tlawd fel cyfle i hysbysebu eu rhagoriaeth foesol eu hunain. Temtasiwn barod gweithwyr cymdeithasol o bob math yw troi'n nawddoglyd tuag at y rhai y maent yn eu helpu. Dyna pam yr aeth geiriau fel 'cardod' ac 'elusen' yn eiriau hyll. Dinistriwyd effeithiolrwydd llawer cymwynas garedig oherwydd bod y cymwynaswr yn ei weld ei hun fel y cryf yn helpu'r gwan. Defnyddiwyd caredigrwydd i borthi balchder ... Yn y Testament Newydd rhagwelir y perygl hwn. Pan alwer arnom i gynorthwyo'r sawl sydd mewn cyni, peidiwn â meddwl mai nyni sy'n gwneud trugaredd â hwy. I'r gwrthwyneb, hwy sy'n gwneud trugaredd â ni ... Ffurf ar drugaredd yr Arglwydd Iesu tuag atom yw caniatáu i ni liniaru poenau ac anghenion y ddynoliaeth ysig.

R. Tudur Jones

510. Llety perffaith
Er mwyn darparu llety perffaith i'n Harglwydd, rhaid i Mair a Martha ymuno.

Santes Teresa

511. Rhoi gwasanaeth

Y mae'r gwasanaeth a roddwn i ddynion wedi inni roi ein calonnau i Dduw yn fath arbennig o wasanaeth. Nid yw'n gwahaniaethu rhwng y materol a'r ysbrydol. Gwêl mai trwy, ac nid heibio i'r materol y mae'r ffordd i'r ysbrydol. Pan weddïwn, meddai rhywun, yr ydym yn gweled Duw â'n llygaid ynghau, pan wasanaethwn yr ydym yn ei weled ef â'n llygaid yn agored; yn anghenion ein cyd-ddynion. Eithr yr un Duw a welwn, ac y mae gwaith a gweddi bryd hynny yn un.

T. Glyn Thomas

512. Y llaw a estynno'n llawn

    Y llaw a estynno'n llawn
    A gynnull yn deg uniawn.

William Llŷn

513. Y gwynfydedigion

A'r gwynfydedigion sy'n 'cael mynd i mewn' i Deyrnas Dduw yw'r rhai y mae arnynt 'newyn a syched am gyfiawnder' - pobl sydd am wneuthur daioni allan o helaethrwydd eu cariad at y daioni ei hun. Ni thyn y rhain y llinell derfyn yn unman. Canys pan foch yn caru daioni er ei fwyn ei hun, 'fedrwch chi fyth deimlo eich bod yn gwneud digon ohono. 'Does byth ormod i'w gael o'r hyn y mae dyn yn ei garu.

J. R. Jones

514. Daioni

Chweched ffrwyth yr ysbryd yw 'daioni' (Gal. 5:22; Effes. 5:9), ac fel y cyfryw y mae'n nodweddu 'plant y goleuni'. Mae'n arbennig o bwysig diogelu'r pwyslais hwn ar ddaioni fel rhodd sy'n tarddu o waith yr Ysbryd yng nghalon dyn. Gwendid a pherygl Phariseaeth ym mhob oes yw gweld daioni moesol fel camp dyn ac felly fel rhywbeth i ymffrostio ynddo ... Ond o weld daioni fel anrheg a roddir inni, ac nid fel camp a gyflawnir gennym, nid yw hunan ddyrchafiad yn bosibl.

R. Tudur Jones

515. Cymeriad da

Sicr yw bod dylanwad cymeriad da yn fwy atyniadol a grymus na dim a ddywedwn mewn anerchiad neu bregeth. Ac wrth 'dda' golygaf lawer mwy na 'da' mewn ystyr negyddol, fwy nag ymatal oddi wrth y drwg hwn a'r drwg arall. Y mae daioni yn beth cadarnhaol, creadigol. Cyflwr o 'fod' neu'n hytrach o 'ddyfod' (*becoming*) ydyw, ac nid cyflwr o 'beidio â bod'.

D. Miall Edwards

516. Mentro arbrofi

Gymaint yn llai dof, gymaint yn fwy cyffrous a fyddai ein crefydd ninnau petaem ond yn mentro arbrofi ein tipyn ffydd er lleied yw, ei gwario yn ystod yr wythnos yn lle bodloni ar ei chronni'n gybyddlyd yn y capel ar y Sul. Dyna wastraff sy'n digwydd ar y Sul; casglu '*cheques*' ffydd yn y Gair, yr emyn, y weddi, y bregeth, heb eu troi yn arian parod ar gyfer marchnad bywyd bore Llun.

Walter P. John

517. Credaf yn yr haul

Credaf yn yr haul er nad yw'n tywynnu,
Credaf mewn Cariad er nad wyf yn ei brofi,
Credaf yn Nuw er nad wyf yn ei weld.

Cyffes ffydd Iddew ar fur yn Warsaw yn ystod dyddiau'r erlid.

518. Geiriau doeth

Nid yw geiriau doeth ond cysgod gweithredoedd da; nid yw'r da a glywir yn werth yr enw oni ellir ei weled hefyd.

Anhysbys

519. Troi crefydd yn adloniant

Y mae troi crefydd yn adloniant yn fwy dirywiad nag adloniant aflednais heb unrhyw gysylltiad rhyngddo â chrefydd.

E. Tegla Davies

520. Bydd fyw

Nid oes dim yn y byd i'w ofni – dagrau, drain, cystudd, hyd yn oed marwolaeth, gallant i gyd ddwyn elw i ni, a chyfryngu gwirionedd, goleuni, harddwch a'r daioni pennaf; gallwn ymglywed â bwrlwm trysor newydd o fywyd. Felly, bydd fyw – nid oes i fywyd ddim pryder.

Kagawa Toyohiko

521. Y fwyaf oedd ei fywyd

Ac o'i bregethau i gyd
Y fwyaf oedd ei fywyd.

William Morris

522. Llwyddo mewn un peth

Y mae llwyddo mewn un peth yn well na methu ym mhopeth, ac fe'ch bernir gan yr unig Un sydd â hawl i'ch barnu, nid yn ôl amlder eich doniau, ond yn ôl y defnydd a wnaethoch o'r ddawn sydd i chwi.

Islwyn Ffowc Elis

523. Yr ydwyf yng nghrafangau

Yr ydwyf yng nghrafangau
Un ofn a'm lladd yn llwyr –
Cyn cadw'r oed ag angau
Ar ddyfod brig yr hwyr –
Y'm ceffir wedi colli'r ddawn
I gadw oed â bywyd llawn.

Dyfnallt

524. Gweddi Serenedd

O Dduw, dyro i mi'r serenedd i allu derbyn y pethau na allaf eu newid; dewrder i newid y pethau y gallaf eu newid, a'r doethineb i wybod y gwahaniaeth.

Reinhold Niebuhr

525. Gras

Y mae gras fel dŵr yn llifo i'r man isaf.

Philip Yancey

526. Dadlau

Mae dadlau â phobl er mwyn eu cael i gredu mor absyrd â'u poenydio i gredu.

Anhysbys

527. Trosglwyddo pryderon

Ar derfyn dydd trosglwyddaf fy mhryderon i Dduw. Bydd ar ei draed drwy'r nos beth bynnag.

Mary C. Crowley

528. Ymddiried ymlaen llaw

Dysgais mai ffydd yw ymddiried ymlaen llaw yn yr hyn sy'n gwneud synnwyr wrth edrych yn ôl.

Philip Yancey

529. Goleuni

Ni all y tywyllwch ddiffodd y goleuni. Ni all ond gwneud Duw yn ddisgleiriach.

Anhysbys

530. Deddfau'r Deyrnas

Nid torri deddfau byd syrthiedig yw gwyrth ond ailsefydlu deddfau'r deyrnas.

Anthony Bloom

531. Y ddelfryd Gristnogol

Nid yw'r ddelfryd Gristnogol wedi'i mentro a'i chael yn brin. Y mae wedi ei chael yn anodd a heb ei mentro.

G. K. Chesterton

532. Cystudd a chyfoeth

Gallwn oddef cystudd yn well na chyfoeth, oherwydd yn ein cyfoeth anghofiwn Dduw.

Dwight L. Moody

533. Gallu Duw

Oni ddibynnwn ar allu Duw oddi mewn i ni, ildiwn i bwysau o'n hamgylch ni.

Anhysbys

534. Awelon Duw

Y mae awelon Duw yn chwythu'n barhaol, ond rhaid i ti godi'r hwyliau.

Anhysbys

535. Credu

Yr wyf yn credu yn y Ffydd Gristnogol fel y credaf fod yr haul wedi codi. Nid yn unig am fy mod yn ei weld, ond am fy mod yn gweld popeth drwyddo.

C. S. Lewis

536. Maddeuant

Y mae pobl yn aml yn afresymol ac yn hunangyfiawn;
Maddau iddynt beth bynnag.
Os ydych yn garedig, gall pobl eich cyhuddo o fod â chymhellion
hunanol;
Byddwch yn garedig beth bynnag.
Os ydych yn onest ac yn agored, gall pobl eich twyllo;
Byddwch yn onest ac yn agored beth bynnag.
Gallwch dreulio blynyddoedd yn adeiladu, a gall rhywun ei ddymchwel
ar amrantiad;
Adeiladwch beth bynnag.
Os dewch o hyd i ddedwyddwch a hapusrwydd, bydd pobl yn
eiddigeddus;
Byddwch yn hapus beth bynnag.
Bydd y daioni a gyflawnwch heddiw yn cael ei anghofio gan bobl yfory;
Gwnewch ddaioni beth bynnag.
Rhowch y gorau sydd gennych i'r byd, efallai na fydd yn ddigon;
Rhowch y gorau sydd gennych i'r byd beth bynnag.

Kent M. Keith

537. Pregethu'r Efengyl

Pregethwch yr Efengyl; os bydd angen, defnyddiwch eiriau.

Y Fam Teresa

538. Y Beibl

Na phryderwch am yr hyn nad ydych yn ei ddeall. Pryderwch am yr
hyn a ddeallwch yn y Beibl ond heb ei weithredu.

Corrie ten Boom

539. Gweddïo am ffydd

Gweddïais am ffydd a thybio y byddai yn fy nharo fel mellten. Ond ni
ddaeth. Un diwrnod, darllenais yn y ddegfed bennod o'r llythyr at y
Rhufeiniaid, '... o'r hyn a glywir y daw ffydd, a daw'r clywed trwy air
Crist'. Yr oeddwn wedi cau fy Meibl a gweddïo am ffydd. Agorais fy
Meibl a dechrau astudio, ac ers hynny y mae fy ffydd wedi dyfnhau.

Dwight L. Moody

540. Gwybodaeth heb ei weithredu

Ofer a diffrwyth yw gwybodaeth heb ei weithredu

Matthew Henry

541. Hapus?

Pan anwyd chi, yr oeddech yn crio a phawb arall yn hapus. Yr unig gwestiwn sy'n cyfrif yw hyn – pan fyddwch chi farw, a fyddwch chi'n hapus pan fydd eraill yn crio?

Tony Campolo

542. Darllen y Beibl

Y mae darllen y Beibl heb fyfyrio arno fel ceisio bwyta heb lyncu.

Anhysbys

543. Dehongli'r Ysgrythur

Ni ddylem ddehongli'r Ysgrythur yng ngoleuni ein profiadau, ond dylwn archwilio ein profiadau yng ngoleuni'r Ysgrythur.

D. Martyn Lloyd-Jones

544. Byw i heddiw

Y mae ddoe wedi mynd. Nid yw yfory yma eto. Does gennym ond heddiw. Dewch i ni gael dechrau.

Y Fam Teresa

545. Diwrnod newydd

Dyma ddechrau diwrnod newydd. Rhoddodd Duw'r diwrnod hwn i mi i'w ddefnyddio fel y mynnwyf. Mae'r hyn a wnaf heddiw yn bwysig, oherwydd fy mod yn ei gyfnewid am un diwrnod o'm bywyd. Pan ddaw yfory bydd heddiw wedi mynd am byth gan adael yn ei le'r hyn a gyfnewidiais amdano. Dymunaf iddo fod yn elw ac nid yn golled; da nid drwg; llwyddiant nid methiant; rhag i mi ddifaru'r pris a delais amdano.

Anhysbys

546. Tröedigaeth

Y mae angen tair tröedigaeth: tröedigaeth y galon, y meddwl a'r pwrs.

Martin Luther

547. Addasu

Rhaid addasu i gyfnod o newidiadau, a dal ein gafael ar egwyddorion digyfnewid.

Jimmy Carter

548. Yr hyn a wêl Duw

Gwêl dyn eich gweithredoedd, ond gwêl Duw eich cymhellion.

Thomas á Kempis

549. Duw yn rhy fach

Y mae'n Duw ni mor aml yn rhy fach oherwydd ei fod yn rhy grefyddol. Dychmygwn mai ei brif ddiddordeb yw crefydd – mewn adeiladau crefyddol (eglwysi a chapeli), gweithredoedd crefyddol (addoliad a defodau), a llyfrau crefyddol (Beiblau a llyfrau gweddi). Wrth gwrs fod ganddo ddiddordeb yn hyn i gyd, ond dim ond os ydynt yn berthnasol i fywyd yn ei gyfanrwydd. Yn ôl proffwydi'r Hen Destament a dysgeidiaeth Iesu, y mae Duw'n feirniadol o 'grefydd' os mai ystyr hynny yw gwasanaethau crefyddol wedi eu hysgaru oddi wrth fywyd real, gwasanaeth o gariad ac ufudd-dod moesol y galon.

John Stott

550. Yn y byd

Dylai Cristion fod **yn** y byd heb fod **o'r** byd. Sut all hyn fod? Ystyriwch y pysgodyn nad oes blas hallt arno er iddo fyw mewn dyfroedd halen.

Anhysbys

551. Yr wyf yr hyn ydwyf

Nid wyf yr hyn y dylwn fod. Nid wyf yr hyn y dymunwn fod. Nid wyf yr hyn y gobeithiwn fod. Ond eto, nid wyf yr hyn a fûm. A thrwy ras Duw, yr wyf yr hyn ydwyf.

John Newton

552. Y dyfodol

Rhaid i chi adael i Dduw ddysgu i chi mai'r unig ffordd i gael gwared ar eich gorffennol yw drwy wneud dyfodol ohono. Nid yw Duw am wastraffu dim.

Phillips Brooks

553. Gras
Rhaid i ras gael mynegiant mewn bywyd, neu nid gras mohono.

Karl Barth

554. Maddeuant pechodau
Pan yw Cristion yn edrych yn ôl, y mae'n edrych ar faddeuant pechodau.

Karl Barth

555. Llawenydd
Llawenydd yw ffurf symlaf diolchgarwch

Karl Barth

556. Gwaith Duw
Ni all neb gael ei achub ar sail ei waith ei hun. Gall pawb gael eu hachub ar sail gwaith Duw.

Karl Barth

557. I'r cyfeiriad arall
Os cewch eich hunan ar y trên anghywir, ofer yw rhedeg ar hyd y coridor i'r cyfeiriad arall.

Dietrich Bonhoeffer

558. Credu
Dim ond yr hwn sy'n credu sy'n ufudd, a dim ond yr hwn sy'n ufudd sy'n credu.

Dietrich Bonhoeffer

559. Moesoldeb cymdeithas
Prawf o foesoldeb cymdeithas yw'r hyn a wna dros ei phlant.

Dietrich Bonhoeffer

560. Cadw'n ddistaw
Y mae ci'n cyfarth pan ymosodir ar ei feistr. Byddwn yn llwfrgi pe byddwn y gweld gwirionedd Duw dan ymosodiad a chadw'n ddistaw.

John Calfin

561. Llacrwydd
Rwy'n ystyried llacrwydd geiriau yn gymaint diffyg â llacrwydd yr ymysgaroedd.

John Calfin

562. Gwyrthiau Satan

Rhaid cofio fod gan Satan ei wyrthiau hefyd.

John Calfin

563. Cariad

Y mae cariad bob amser yn golygu cyfrifoldeb, ac y mae cariad hefyd yn golygu aberth. Nid ydym yn wirioneddol garu Crist os nad ydym yn barod i ymateb i'w alwad a chodi ei Groes.

William Barclay

564. Tragwyddoldeb

Pwysigrwydd dychrynllyd y bywyd hwn yw ei fod yn penderfynu tragwyddoldeb.

William Barclay

565. Diwrnodau pwysig

Y mae dau ddiwrnod pwysig ym mywyd person – dydd ei eni a'r dydd y daw i wybod pam.

William Barclay

566. Gwrthod penderfynu

Gwrthod penderfynu yw penderfynu.

Harvey Cox

567. Y meddwl ymwybodol

Y mae'r meddwl ymwybodol yn penderfynu'r gwaith, y meddwl anymwybodol sy'n penderfynu'r adwaith; ac y mae'r adwaith lawn mor bwysig â'r gwaith.

E. Stanley Jones

568. Amheuaeth

Daw amheuaeth i mewn drwy'r ffenestr pan wrthodir y cwestiynau wrth y drws.

Benjamin Jowett

569. Credu yn Nuw

Fy mhlentyn, rhaid i ti gredu yn Nuw er gwaethaf yr hyn a ddywed gweinidogion.

Benjamin Jowett

570. Pwysigrwydd dyn

Y mae dyn yn anfeidrol bwysig, a rhaid ei amddiffyn yn ddiamod.

Hans Küng

571. Arweinwyr crefyddol

Dro ar ôl tro gwelwn arweinwyr ac aelodau o bob crefydd yn annog trais, penboethni, casineb a senoffobia – a hyd yn oed ysbrydoli a chyfiawnhau gwrthdaro treisgar a gwaedlyd.

Hans Küng

572. Cariad

Yn yr hanfodion, undod; yn y gwahaniaethau, rhyddid; ym mhob dim, cariad.

Philipp Melanchthon

573. Pechod dynol

Y mae pob pechod dynol gymaint gwaeth yn ei ganlyniadau na'i fwriadau.

Reinhold Niebuhr

574. Maddeuant

Maddeuant yw ffurf derfynol cariad.

Reinhold Niebuhr

575. Cyfiawnder

Y mae gallu dyn i fod yn gyfiawn yn gwneud democratiaeth yn bosibl, ond y mae ei duedd at anghyfiawnder yn gwneud democratiaeth yn angenrheidiol.

Reinhold Niebuhr

576. Bod yn sant

Nid oes raid i ddyn fod yn angel er mwyn bod yn sant.

Albert Schweitzer

577. Dall i liwiau

Optimist yw rhywun sy'n gweld y golau gwyrdd ym mhob man, tra bo'r pesimist yn gweld dim ond y golau coch ... mae'r person doeth yn ddall i liwiau.

Albert Schweitzer

578. Tanio'r fflam

Bydd ein goleuni'n diffodd ar adegau, a chaiff ei ailgynnau gan wreichionyn rhywun arall. Mae gan bawb ohonom achos i fyfyrio'n ddwys a diolchgar am y rhai a daniodd y fflam ynom ni.

Albert Schweitzer

579. Ysbryd Crist

Dylem, yn feunyddiol, bwyso'r hyn a roesom i ysbryd y byd yn erbyn yr hyn a wrthodwyd mewn meddwl ac yn arbennig mewn gweithred, i ysbryd Crist.

Albert Schweitzer

580. Esiampl

Nid esiampl yw'r prif beth wrth ddylanwadu ar eraill. Esiampl yw'r unig beth.

Albert Schweitzer

581. Moeseg

Gadewch i mi ddiffinio moeseg: y mae'n dda cynnal ac ymestyn bywyd, ac y mae'n ddrwg niweidio a difetha bywyd.

Albert Schweitzer

582. Byw er mwyn eraill

O fyw er mwyn eraill, bydd bywyd yn anos, ond bydd hefyd yn gyfoethocach ac yn hapusach.

Albert Schweitzer

583. Fy mywyd

Fy mywyd yw fy nadl.

Albert Schweitzer

584. Llwyddiant

Nid llwyddiant yw'r allwedd i hapusrwydd. Hapusrwydd yw'r allwedd i lwyddiant. Os ydych yn caru'r hyn yr ydych yn ei wneud, fe fyddwch yn llwyddiannus.

Albert Schweitzer

585. Amheuaeth

Nid yw amheuaeth yn groes i ffydd; un elfen o ffydd ydyw

Anhysbys

586. Dewrder

Y dewrder i fod yw'r dewrder i dderbyn eich hunan, er gwaethaf bod yn annerbyniol.

Paul Tillich

587. Cariad

Nid oes cariad na thry yn gymorth.

Paul Tillich

588. Anelu am y nefoedd

Anelwch am y nefoedd, ac fe gewch y ddaear hefyd. Anelwch am y ddaear, ac ni chewch y naill na'r llall.

C. S. Lewis

589. Caru cyd-ddyn

Y mae'n rhyfeddol faint o amser y mae pobl dda yn ei dreulio'n ymladd y diafol. Petasent yn treulio llawn cymaint o'u hamser yn caru cyd-ddyn byddai'r diafol yn marw o ddiflastod.

Helen Keller

590. Y Beibl

Does yr un dyn fyth yn credu bod y Beibl yn golygu'r hyn a ddywed: y mae'n argyhoeddedig ei fod yn dweud yr hyn y mae ef ei hun yn ei ddweud.

George Bernard Shaw

591. Gweddi

Nid newid Duw a wna gweddi, ond newid y gweddïwr.

Søren Kierkegaard

592. Pechodau

Cawn ein cosbi gan ein pechodau, nid am ein pechodau.

Anhysbys

593. Crefydd i garu

Mae gennym ddigon o grefydd i beri i ni gasáu, ond dim digon i beri i ni garu ein gilydd.

Jonathan Swift

594. Ffydd

Mae ffydd yn golygu credu pan yw credu y tu hwnt i reswm.

Voltaire

595. Credu yn yr hyn na welir

Ffydd yw credu'r hyn na welwch; y wobr yw gweld yr hyn a gredwch.

Awstin Sant

596. Maddeuant

Maddeuant yw'r perarogl y mae'r fioled yn ei daenu ar y sawdl a'i sathrodd.

Mark Twain

597. Parsel bach

Mae'r person sydd wedi'i lapio amdano'i hun yn gwneud parsel bach.

Harry Emerson Fosdick

598. Rhyfel

Rwy'n casáu rhyfel oherwydd ei ganlyniadau, oherwydd y celwydd y mae yn ei hyrwyddo ac am y casineb diddiwedd y mae'n ei ennyn.

Harry Emerson Fosdick

599. Byd llawn dirgelwch

Gwell gennyf fyw mewn byd lle mae dirgelwch yn fy amgylchynu na byw mewn byd mor fach fel y gallai fy meddwl ei amgyffred.

Harry Emerson Fosdick

600. Trasiedi rhyfel

Trasiedi rhyfel yw ei fod yn defnyddio gorau dyn i gyflawni gwaethaf dyn

Harry Emerson Fosdick

601. Symud yn gyflym

Mae'r byd yn symud mor gyflym y dyddiau hyn fel bo'r sawl sy'n dweud na ellir ei gyflawni'n cael ei darfu gan y sawl sy'n ei wneud.

Harry Emerson Fosdick

602. Mawredd

Ni allwn i gyd fod yn fawr, ond gallwn gysylltu ein hunain â rhywbeth sydd yn fawr.

Harry Emerson Fosdick

603. Celwydd

Y mae esgus yn waeth na chelwydd, oherwydd celwydd wedi ei guddio yw esgus.

Y Pab Ioan Pawl II

604. Rhyddid i wneud

Nid yw rhyddid yn golygu gwneud yr hyn a fynnom, ond mae'n golygu cael yr hawl i wneud yr hyn a ddylem.

Y Pab Ioan Pawl ll

605. Dechrau'r dyfodol

Mae'r dyfodol yn dechrau heddiw, nid yfory.

Y Pab Ioan Pawl ll

606. Heb lwyddo eto

Nid yw methu'n golygu eich bod yn fethiant, dim ond golygu nad ydych wedi llwyddo eto.

Robert H. Schuller

607. Llwyddiant yn ddiystyr

Pe na bai methiant yn bosibl, byddai llwyddiant yn ddiystyr.

Robert H. Schuller

608. Cymeriad rhagorol

Cymeriad rhagorol yw'r gofeb orau. Bydd y sawl a gynorthwywyd gennych ac y cawsant eu caru gennych yn aros pan fydd y blodau wedi gwywo. Cerfiwch eich enwau ar galonnau, ac nid ar farmor.

Charles H. Spurgeon

609. Ei bresenoldeb

Y mae ei awdurdod ar y ddaear yn ein herio i fynd i'r holl fyd. Y mae ei awdurdod yn y nefoedd yn rhoi'r gobaith i ni lwyddo. Ac y mae ei bresenoldeb gyda ni yn ein gadael heb ddewis.

John Stott

610. Rhyfel yn dwyll

Y mae pob rhyfel yn dwyll.

Sun Tzu

611. Diwedd ar ryfel

Os na rown ddiwedd ar ryfel, bydd rhyfel yn ddiwedd arnom ni.

H. G. Wells

612. Diwedd rhyfela

Dim ond y meirw a welodd derfyn ar ryfela.

George Santayana

613. Mesur Cristion

Ni ellir mesur Cristion yn ôl uchder ei gyraeddiadau, ond yn ôl dyfnder ei gariad.

Anhysbys

614. Caru

Y mae caru o gwbl yn golygu bod yn fregus. Carwch, ac mae'n debygol y torrir eich calon. Os ydych am sicrhau na chewch eich chwalu, gwnewch yn siŵr na rowch eich calon i neb, hyd yn oed anifail. Lapiwch eich diddordebau a'ch moethau bach amdani; gwnewch eich gorau i osgoi pob perthynas; clowch hi'n ddiogel yng nghist neu arch eich hunanoldeb. Ond yn yr arch ddiogel, dywyll, fyglyd fe'i newidir. Ni fydd wedi torri; daw'n anorchfygol, yn anhreiddiadwy. Yr unig le y tu allan i'r nefoedd y gallwch fod yn berffaith ddiogel rhag peryglon cariad yw Uffern

C. S. Lewis

615. Y wawr yn torri

Nid diffodd y golau yw marwolaeth i'r Cristion; diffodd y lamp ydyw am fod y wawr wedi torri.

Anhysbys

616. Dim yn fwy absyrd

Nid oes dim sy'n fwy absyrd na Christion sarrug, calon-galed, trachwantus, balch a maleisus.

Jonathan Edwards

617. Anghofio'r gorffennol

Yng Nghrist, y mae'n ddiogel i anghofio'r gorffennol; y mae'n bosibl bod yn sicr o'r dyfodol; y mae'n bosibl bod yn ddiwyd yn y presennol.

Alexander Maclaren

618. Duw yn ceisio dyn

Y gwahaniaeth rhwng Cristnogaeth a chrefyddau eraill yw bod y lleill yn llawn dynion yn ceisio Duw, tra bod Cristnogaeth yn dangos Duw yn ceisio dyn.

Thomas Arnold

619. Bod yn Gristion

Nid yw mynd i'r capel yn eich gwneud yn Gristion: ddim mwy na bod sefyll mewn garej yn eich gwneud yn gar.

Anhysbys

620. Tangnefedd

Pan fu farw Crist gadawodd ei enaid i'w Dad, ei gorff i Joseff o Arimathea; ei ddillad i'r milwyr a'i fam i ofal Ioan. Ond i'r disgyblion a adawodd y cyfan i'w ddilyn, ni adawodd yr un geiniog. Gadawodd rywbeth llawer iawn gwell – ei dangnefedd.

Mathew Henry

621. Newyddion da

Newyddion da am drugaredd i'r anhaeddiannol yw'r Efengyl. Symbol crefydd Iesu yw Croes ac nid clorian.

John Stott

622. Tywyllwch a chasineb

Ni all y tywyllwch ymlid y tywyllwch; dim ond goleuni all wneud hynny. Ni all casineb ymlid casineb; dim ond cariad all wneud hynny.

Martin Luther King

623. Ffydd

Ffydd yw cymryd y cam cyntaf er na allwch weld y grisiau i gyd.

Martin Luther King

624. Derbyn drygioni

Y mae'r sawl sy'n derbyn drygioni lawn cymaint rhan ohono â'r un sy'n ei gyflawni. Y mae'r sawl sy'n derbyn drygioni heb ei wrthwynebu mewn gwirionedd yn cyd-weithredu ag ef.

Martin Luther King

625. Cariad diamod

Credaf y caiff y gwirionedd di-arf a chariad diamod y gair terfynol. Dyna pam y mae cyfiawnder a drechwyd dros dro yn gryfach na drygioni gorchfygol.

Martin Luther King

626. Glynu wrth gariad

Rwyf wedi penderfynu glynu wrth gariad. Y mae casineb yn faich rhy drwm i'w ysgwyddo.

Martin Luther King

627. Bod yn frawd

Rwy'n dymuno bod yn frawd i'r dyn gwyn, ac nid yn frawd yng nghyfraith iddo.

Martin Luther King

628. Tawelwch ein cyfeillion

Yn y pen draw, nid geiriau ein gelynion a gofiwn, ond tawelwch ein cyfeillion.

Martin Luther King

629. Didreisedd

Y mae didreisedd yn arf pwerus a chyfiawn, sy'n torri heb glwyfo ac yn rhoi urddas i'r dyn sy'n ei ddefnyddio. Y mae'n gleddyf sy'n iacháu.

Martin Luther King

630. Twpdra cydwybodol

Nid oes dim drwy'r holl fyd sy'n fwy peryglus nag anwybodaeth ddiffuant a thwpdra cydwybodol.

Martin Luther King

631. Helpu
Y cwestiwn cyntaf a ofynnodd yr Offeiriad a'r Lefiad oedd: 'Os oedaf i helpu'r dyn hwn, beth sy'n mynd i ddigwydd i mi?' Ond trodd y Samariad y cwestiwn ar ei ben: 'Os na oedaf i helpu'r dyn hwn, beth sy'n mynd i ddigwydd iddo fe?'

Martin Luther King

632. Gwrthdaro moesol
Y mae'r llecyn poethaf yn Uffern wedi ei gadw ar gyfer y diduedd mewn cyfnod o wrthdaro moesol.

Martin Luther King

633. Yfory heddychlon
Y mae'r gorffennol yn broffwydol drwy ddatgan yn huawdl mai cŷn aneffeithiol yw rhyfel i gerfio yfory heddychlon.

Martin Luther King

634. Y gallu i faddau
Rhaid i ni feithrin a chynnal y gallu i faddau. Mae'r sawl sy'n amddifad o'r gallu i faddau'n amddifad o'r gallu i garu. Mae rhyw ddaioni yn y gwaethaf ohonom, a rhyw gymaint o'r drwg yn y gorau ohonom. Pan sylweddolwn hynny, byddwn yn llai tueddol o gasáu ein gelynion.

Martin Luther King

635. Cyfiawnder, heddwch a brawdgarwch
Y mae'r gobaith am fyd diogel yn gorwedd gydag anghydffurfwyr sy'n ymroddedig i gyfiawnder, heddwch a brawdgarwch.

Martin Luther King

636. Dros eraill
Cwestiwn mwyaf tyngedfennol bywyd yw, 'Beth wyt ti'n ei wneud dros eraill?'

Martin Luther King

637. Ffyddlon yn y pethau bychain
Bydd ffyddlon yn y pethau bychain oherwydd yno y mae dy nerth yn gorwedd.

Y Fam Teresa

638. Caru heb flino

Peidiwch â chredu fod yn rhaid i gariad diffuant fod yn anghyffredin. Yr hyn sydd ei angen arnom yw caru heb flino.

Y Fam Teresa

639. Arweinydd

Peidiwch â disgwyl am arweinwyr; gwnewch eich hunan, person i berson.

Y Fam Teresa

640. Iesu mewn cuddwisg

Iesu mewn cuddwisg yw pob un ohonynt.

Y Fam Teresa

641. Newyn am gariad a gofal

Y mae hyd yn oed y cyfoethog yn newynu am gariad, gofal ac am gael teimlo eu bod yn perthyn.

Y Fam Teresa

642. Gwenu

Bob tro y gwenwch ar rywun, y mae'n weithred o gariad ac yn rhodd brydferth i'r person hwnnw.

Y Fam Teresa

643. Ymdrech

Nid yw Duw'n gofyn am lwyddiant, ond yn hytrach am ymdrech.

Y Fam Teresa

644. Cadwyn o gariad

Y mae gweithredoedd da'n ddolenni sy'n ffurfio cadwyn o gariad.

Y FamTeresa

645. Llythyr caru i'r byd

Rwy'n bensil yn llaw Duw sy'n ysgrifennu llythyr caru i'r byd.

Y Fam Teresa

646. Ffyddlondeb

Nid wyf yn gweddïo am lwyddiant, rwy'n gofyn am ffyddlondeb.

Y FamTeresa

647. Ymddiriedaeth

Gwn na fydd Duw'n rhoi i mi ddim na allaf ymdopi ag ef. Dim ond poeni yr ydwyf ei fod wedi ymddiried cymaint ynof.

Y Fam Teresa

648. Cariad Duw

Rwy'n ceisio rhoi i'r tlodion am gariad yr hyn y gallai'r cyfoethog ei gael am arian. Na, ni fyddwn yn cyffwrdd gwahanglwyf am fil o bunnoedd; eto rwy'n barod i'w iacháu er mwyn cariad Duw.

Y Fam Teresa

649. Eich cymydog

Rwyf am i chi boeni am eich cymydog drws nesaf. Ydych chi'n adnabod eich cymydog drws nesaf?

Y Fam Teresa

650. Heddwch

Os nad oes heddwch, mae hynny am ein bod ni wedi anghofio ein bod yn perthyn i'n gilydd.

Y Fam Teresa

651. Neges cariad

Os ydym yn dymuno i neges cariad gael ei glywed, rhaid ei anfon. Rhaid dal ati i roi olew yn y lamp os ydyw i barhau i losgi.

Y Fam Teresa

652. Bwydo un

Os na allwch fwydo cant o bobl, bwydwch un.

Y Fam Teresa

653. Caru pobl

Os ydych yn beirniadu pobl nid oes gennych amser i'w caru.

Y Fam Teresa

654. Crefydd

Nid crefydd yw'r grefydd honno nad yw'n ystyried materion ymarferol nac yn gwneud dim i'w datrys.

Mahatma Gandhi

655. Ein blaenoriaethau

Y mae ein gweithredoedd yn dangos ein blaenoriaethau.

Mahatma Gandhi

656. Llygad am lygad

Y mae llygad am lygad yn dallu'r byd.

Mahatma Gandhi

657. Gweithredu

Y mae owns o weithredu yn werth mwy na thunnell o bregethu.

Mahatma Gandhi

658. Cymhellion gweithredu

Gerbron gorsedd yr Hollalluog, bernir dyn nid ar ei weithredoedd ond ar ei gymhellion. Oherwydd Duw yn unig sy'n darllen ein calonnau.

Mahatma Gandhi

659. Lleiafrif o un

Hyd yn oed os ydych mewn lleiafrif o un, y gwir yw'r gwir.

Mahatma Gandhi

660. Sut i ennill

I ddechrau, maent yn chwerthin am eich pen, yna maent yn eich ymladd, yna fe enillwch.

Mahatma Gandhi

661. Hapusrwydd

Hapusrwydd yw pan fo'r hyn a ddywedwch a'r hyn a wnewch mewn cytgord â'i gilydd.

Mahatma Gandhi

662. Barod i farw

Rwy'n barod i farw, ond does dim un achos rwy'n barod i ladd drosto.

Mahatma Gandhi

663. Hoff o Grist

Rwy'n hoff o'ch Crist, ond nid wyf yn hoffi eich Cristnogion. Y mae eich Cristnogion mor annhebyg i'ch Crist.

Mahatma Gandhi

664. Gwrthwynebu trais

Rwy'n gwrthwynebu trais. Oherwydd pan yw'n ymddangos ei fod yn gwneud daioni, nid yw'r daioni'n barhaol. Y mae'r drwg a wna'n barhaol.

Mahatma Gandhi

665. Gwir heddwch

Os ydym i ddysgu gwir heddwch yn y byd hwn, ac os ydym i ryfela yn erbyn rhyfel, bydd rhaid i ni ddechrau gyda'r plant.

Mahatma Gandhi

666. Ysgwyd y byd

Mewn ffordd dawel, gallwch ysgwyd y byd.

Mahatma Gandhi

667. Cyfraith y mwyafrif

Mewn achosion cydwybod, nid oes lle i gyfraith y mwyafrif.

Mahatma Gandhi

668. Calon heb eiriau

Mewn gweddi, gwell yw calon heb eiriau na geiriau heb galon.

Mahatma Gandhi

669. Anrhydedd

Bu'n ddirgelwch i mi erioed pam fod dynion yn teimlo iddynt gael eu hanrhydeddu drwy waradwydd eraill.

Mahatma Gandhi

670. Fy neges

Fy mywyd yw fy neges.

Mahatma Gandhi

671. Tlodi

Tlodi yw'r math gwaethaf o drais.

Mahatma Gandhi

672. Gweddi

Gweddi yw allwedd y bore a chlo'r hwyr.

Mahatma Gandhi

673. Y gwir Gristion

Y gwir Gristion yw'r person a all roi ei barot i glebryn penna'r dref.

Billy Graham

674. Wrth weddïo

Nid osgo'r corff, ond agwedd y galon, sy'n cyfrif pan weddïwn.

Billy Graham

675. Gadewch i ni weddïo

Pan ddaeth y cenhadon i Affrica, roedd y Beibl ganddynt hwy a'r tir gennym ni. 'Gadewch i ni weddïo', meddent. Wedi i ni agor ein llygaid roedd y Beibl gennym ni a'r tir ganddynt hwy.

Desmond Tutu

676. Rhodd Duw

Nid chi sy'n dewis eich teulu. Rhodd Duw i chi ydynt, fel yr ydych chwithau iddynt hwy.

Desmond Tutu

677. Bod yn ddiduedd

Os ydych yn ddiduedd mewn sefyllfaoedd anghyfiawn, yr ydych wedi dewis ochr y gormeswr. Os yw troed yr eliffant ar gynffon y llygoden, a chwithau'n dweud fod hynny'n ddiduedd, ni fydd y llygoden yn gwerthfawrogi'ch safbwynt.

Desmond Tutu

678. Pregethu'r Efengyl

Nid wyf yn pregethu efengyl gymdeithasol; rwy'n pregethu'r Efengyl. Y mae a wnelo Efengyl Iesu Grist â'r person cyfan. Pan oedd pobl yn newynu, ni ddywedodd Iesu, 'Nawr a yw hyn yn wleidyddol neu'n gymdeithasol?' Dywedodd, 'Dyma fwyd i chi'. Oherwydd y newyddion da i bobl sy'n llwgu yw bara.

Desmond Tutu

679. Cydnabod eraill

Y mae person yn berson am ei fod yn cydnabod eraill fel personau.

Desmond Tutu

680. Safon Duw

Efallai y cawn ein synnu gan y bobl a welwn yn y nefoedd. Mae gan Dduw hoffter o bechaduriaid. Mae ei safonau yn reit isel.

Desmond Tutu

681. Dim dyfodol

Heb faddeuant nid oes dyfodol.

Desmond Tutu

682. Crist yn y byd

Credaf y gall Crist, Mab dibechod Duw, fod yn byw yn awr yn y byd ym mherson ein cymydog drws nesaf a ninnau, efallai, heb wybod hynny.

John Henry Newman

683. Hyfforddi plentyn

Hyfforddwch eich plentyn ar y llwybr y dylech fod wedi ei gymryd eich hunan.

Charles H. Spurgeon

684. Bod yn genhadwr

Y mae tri o ofynion hanfodol i bob cenhadwr. 1. Amynedd. 2. Amynedd. 3. Amynedd.

James Hudson Taylor

685. Help Duw

Arferwn ofyn i Dduw fy helpu. Yna gofynnais a allwn i ei helpu ef. Yn y diwedd, gofynnais iddo gyflawni ei waith trwof i.

James Hudson Taylor

686. Gwaith Duw

Gallwch fod yn sicr! Ni fydd gwaith Duw a gyflawnir yn ffordd Duw fyth yn brin o adnoddau.

James Hudson Taylor

687. Mwy o ffydd

Credwch fi, y mae mwy o ffydd mewn amheuaeth onest, nag yn hanner y credoau.

Alfred Tenyson

688. Gweddïau tawel

Y mae ein llygaid yn gartrefi gweddïau tawel.

Alfred Tenyson

689. Yr ysbrydol a'r naturiol

Rhaid i berson brofi dwy dröedigaeth; y gyntaf o'r naturiol i'r ysbrydol, ac yna o'r ysbrydol i'r naturiol.

Eberhard Arnold

690. Troi'r gwirionedd

Bob tro y mae dyn wedi ceisio troi gwirionedd croeshoeliedig yn wirionedd gorfodol y mae wedi bradychu egwyddor sylfaenol Cristnogaeth.

Nikolai Berdyaev

691. Y bywyd mewnol

Yn yr ystyr Feiblaidd, nid y bywyd mewnol yw'r 'galon', ond yn hytrach y dyn cyfan yn ei berthynas â Duw.

Dietrich Bonhoeffer

692. Crist yn galw

Pan yw Crist yn galw y mae'n galw ar ddyn i ddod a marw.

Dietrich Bonhoeffer

693. Y Cristion

Person sy'n rhannu dioddefiadau Duw gyda'r byd yw Cristion.

Dietrich Bonhoeffer

694. Bod yn ddisgybl

Gwyn ei fyd y sawl sy'n gwybod mai bywyd yn tarddu o ras yw bywyd y disgybl, ac mai ystyr gras yw bod yn ddisgybl.

Dietrich Bonhoeffer

695. Marwolaeth

Marwolaeth yw'r brif ŵyl ar y ffordd i ryddid.

Dietrich Bonhoeffer

696. Gwasanaethu a charu

Y mae'n bosibl bod mor weithgar yng ngwasanaeth Crist nes anghofio ei garu.

P. T. Forsyth

697. Byw gyda Duw

Rhaid byw gyda phobl er mwyn gwybod eu problemau, a byw gyda Duw i wybod sut mae eu datrys.

P. T. Forsyth

698. Cenhadaeth fawr y ffydd

Ni allwn wadu fod cenhadaeth fawr y ffydd Gristnogol wedi ei chyflawni mewn gwirionedd gan bobl gyffredin.

Adolph von Harnack

699. Mwy o saint

Y tu ôl i bob sant y mae sant arall.

Fredrich von Hügel

700. Ymddistewch

Byddwch yn dawel am bethau mawrion; gadewch iddynt dyfu y tu mewn i chi. Peidiwch byth â'u trafod: y mae trafod yn cyfyngu ac yn tynnu eich sylw at bethau eraill. Y mae'n peri i bethau grebachu. Gerbron pob mawredd, ymddistewch mewn celfyddyd, cerddoriaeth a chrefydd: ymddistewch.

Fredrich von Hügel

701. Yn groes i iachawdwriaeth

Arfer, nid pechod, sy'n groes i iachawdwriaeth.

Charles Péguy

702. Pregethu'r Efengyl

Anfonodd Duw fi i bregethu'r Efengyl, a bydd yntau'n gofalu am y canlyniadau.

Mary Slessor

703. Saint

Saint yw'r bobl sy'n ei gwneud yn haws i eraill gredu yn Nuw.

Nathan Söderblom

704. Cariad yn trawsnewid

Creadur dynol yw sant sydd wedi ei drochi a'i drawsnewid gan gariad: cariad sydd wedi diddymu a llosgi'r nwydau cynhenid sydd fel arfer yn rheoli bywydau dynion.

Evelyn Underhill

705. Anfon fi

Llawer gwell yw gallu dweud, 'Anfon fi', heb orfod ychwanegu, 'i fan y caiff fy statws ei gydnabod, neu i fan y gallaf ddefnyddio fy noniau arbennig'. Duw sydd i'w gydnabod, nid ni.

Evelyn Underhill

706. Gofyn cwestiwn anodd

Mae gofyn y cwestiwn anodd yn hawdd.

W. H. Auden

707. Offeryn yn llaw Duw

Ni all yr un dyn gyflawni'r gwaith y galwyd ef iddo yn y bywyd hwn os na fedr ddysgu anghofio'i hunan a gweithredu yn offeryn yn llaw Duw.

W. H. Auden

708. Pethau gwan y byd

Mae gennyf ddau ddarn o bren fel gwely, dwy stôl, dau gwpan a basn. Ar fy mur drylliog y mae cerdyn sy'n darllen, 'Pethau gwan y byd a ddewisodd Duw. Rwy'n gallu pob peth drwy Grist sydd yn fy nerthu i'. Y mae'n wir, rwyf wedi cerdded drwy dân.

Gladys Aylward

709. Dewis cyntaf Duw

Nid fi oedd dewis cyntaf Duw ar gyfer y gwaith a gyflawnais yn Tseina.

Gladys Aylward

710. Gwir Gristion

Gwir Gristion yw'r person nad yw fyth yn anghofio'r hyn a wnaeth Duw drosto yng Nghrist, ac y mae ei holl ymddygiad a'i weithgarwch wedi eu gwreiddio mewn diolchgarwch.

John Baillie

711. Nid yn nerth ein hunain

Nid yw'n gosod unrhyw faich arnom ar wahân i roi ein holl ymddiriedaeth ynddo – dim hunanaberth, dim caledi gormodol, dim disgyblaethau eithafol. Y mae'n dymuno i ni fod yn garedig a chyfiawn a gwir yn ein holl ymwneud beunyddiol. Ond nid yw'n disgwyl i ni wneud hynny chwaith yn ein nerth ein hunain.

John Baillie

712. Sylfaen gadarn

Nid oes yr un awr, y tu hwnt i'r presennol, wedi ei haddo i mi i osod fy mywyd ar sylfaen gadarn, ac i geisio angor ddiysgog ar gyfer fy enaid anfarwol, ac i geisio heddwch â Duw a'm cymydog.

John Baillie

713. Gostyngeiddrwydd

Y mae gostyngeiddrwydd wedi ei seilio ar weld yr hunan, ac ar weledigaeth o Grist ac ymwybyddiaeth o Dduw.

William Barclay

714. Gwirionedd

Y mae'r gwirionedd a ddywedir yn mynd yn angof; y mae'r gwirionedd a ddarganfyddir yn para byth.

William Barclay

715. Y dyn tlawd

Y dyn sy'n dlawd yn yr ysbryd yw'r dyn sydd wedi sylweddoli nad yw pethau'n golygu dim, a bod Duw'n golygu popeth.

William Barclay

716. Hunanedmygedd

Hunanedmygedd yw marwolaeth yr enaid. Y mae edmygu ein hunain fel yr ydym yn golygu nad oes dymuniad i wella. A chyda'r sawl nad ydynt yn dymuno gwella, y mae'r enaid yn farw.

William Barclay

717. Dim Cristnogion

O ddeall yn iawn, does yna ddim Cristnogion: does ond y cyfle i ddod yn Gristnogion – cyfle sydd yr un pryd yn gyraeddadwy ac yn anghyraeddadwy i bawb.

Karl Barth

718. Y Diafol

Gall y Diafol hefyd ddefnyddio moesoldeb.

Karl Barth

719. Credu

Os yw dyn yn credu ac yn adnabod Duw, ni all ofyn mwyach, 'Beth yw ystyr fy mywyd?' Ond trwy gredu, y mae mewn gwirionedd yn byw ystyr ei fywyd.

Karl Barth

720. Cydnabod y gelyn

Y cam cyntaf ar y ffordd i fuddugoliaeth yw cydnabod y gelyn.

Corrie ten Boom

721. Pryder

Nid yw pryder yn gwacáu yfory o'i dristwch, ond yn gwacáu heddiw o'i nerth.

Corrie ten Boom

722. Gogoniant

Sancteiddhad yw dechrau gogoniant. Gogoniant yw sancteiddhad wedi ei gyflawni.

F. F. Bruce

723. Duw yn ein dymuno ni

Nid yw Duw'n dymuno 'rhywbeth' oddi wrthym – y mae'n ein dymuno ni, ein hunain; nid ein gweithredoedd, ond ein personoliaeth, ein hewyllys, ein calon.

Emil Brunner

724. Myth

Gwir bwrpas myth yw nid cyflwyno darlun gwrthrychol o'r byd fel y mae, ond mynegi dealltwriaeth dyn ohono'i hun yn y byd y mae'n byw ynddo.

Rudolph Bultmann

725. Caru a rhoi

Gallwch roi heb garu, ond ni allwch garu heb roi.

Amy Carmichael

726. Tristwch a llawenydd

Y mae tristwch yn un o'r pethau a fenthycir, nid a roddir. Gellir cymryd oddi arnom yr hyn a fenthycir, ond ni ellir cymryd oddi arnom yr hyn a roddir. Rhoddir llawenydd; benthycir tristwch.

Amy Carmichael

727. Bod yn Gristion

I fod yn Gristion, rhaid wynebu a derbyn y bywyd a wynebodd Crist; rhaid mwyhau'r pethau a fwynhaodd ef; bod mor hapus ag yr oedd ef yn y briodas yng Nghana, adnabod y tangnefedd a'r hapusrwydd sy'n deillio o fod mewn cynghanedd â Duw a'i ewyllys. Ond hefyd rhaid gwybod, fel y gwyddai ef, beth yw ystyr bod yn unig yng Ngardd Gethsemane, teimlo fod eich holl gyfeillion wedi cefnu arnoch a bod Duw ei hun wedi eich gadael. Daliwch afael bryd hynny ar y gred nad hyn yw'r diwedd. Os ydych yn caru, fe ddioddefwch; os nad ydych yn gwybod beth yw cariad, nid ydych yn gwybod beth yw ystyr bywyd Cristnogol.

Agatha Christie, yn dyfynnu ei hen athrawes ddosbarth

728. Pwy sy'n Arglwydd

Os nad yw Iesu'n Arglwydd eich bywyd, fe fydd rhywun arall.

Donald Coggan

729. Y bywyd Cristnogol

Nid ffordd 'allan' ond ffordd 'drwy' fywyd yw'r bywyd Cristnogol.

Billy Graham

730. Cymerwn ofal

Cymerwn ofal da o'r cyrff sydd gennym am oes, ond caniatawn i'n heneidiau, sydd gyda ni am dragwyddoldeb, grebachu.

Billy Graham

731. Cristnogaeth

Y mae'n annaturiol i Gristnogaeth fod yn boblogaidd.

Billy Graham

732. Y gwirionedd

Peidiwch â bod mor drahaus a thybio nad yw'r gwirionedd yn fwy na'ch dealltwriaeth chi ohono.

Michael Green

733. Y Beibl

Y Beibl yw'r beirniad gorau ohono ei hun. Y mae yn ein cyfeirio at y Beibl oddi fewn i'r Beibl, y Duw y tu hwnt i Dduw. Yr allwedd i'r cyfan ... yw'r rhybudd rhag eilunaddoliaeth.

Richard Holloway

734. Yr Efengyl

Y mae'r Efengyl yn ei hanfod yn neges am iachawdwriaeth ysbrydol ac nid o ddiwygiad cymdeithasol.

W. R. Inge

735. Newyddion da

Nid cyngor da oedd yr Efengyl, ond newyddion da.

W.R.Inge

736. Ffordd o gerdded

Ffordd o gerdded yw crefydd, ac nid ffordd o siarad.

W. R. Inge

737. Gwyrth

Does dim rhaid i mi grwydro'n bell i chwilio am wyrth. Rwyf fi fy hunan yn wyrth. Mae fy ngenedigaeth gorfforol a bodolaeth fy enaid yn wyrthiau. Yn bennaf oll, mae'r ffaith i mi gael fy ngeni o gwbl yn wyrth.

Toyohiko Kagawa

738. Maddeuant

Rhaid i faddeuant gael ei dderbyn yn ogystal â'i roi cyn y gall fod yn gyflawn.

C. S.Lewis

739. Galar

Nid yw galar angerddol yn ein cysylltu â'r meirw, ond yn ein gwahanu oddi wrthynt.

C. S.Lewis

740. O dragwyddol bwys

Os yw Cristnogaeth yn ffals, nid yw o bwys, ac os yw'n wir y mae o dragwyddol bwys. Yr un peth na all fyth fod yw gweddol bwysig.

C. S. Lewis

741. Diolchgarwch

Y mae diolchgarwch yn edrych i'r gorffennol, a chariad i'r presennol; y mae ofn, cybydd-dod, trachwant ac uchelgais yn edrych ymlaen.

C. S. Lewis

742. Popeth yn iawn

Y mae pobl sy'n credu y bydd popeth yn iawn wedi eu tröedigaeth yn anghofio Satan.

D. Martyn Lloyd-Jones

743. Ffydd

Y mae ffydd bob amser yn amlygu ei hunan yn y bersonoliaeth gyfan.

D. Martyn Lloyd-Jones

744. Mesur cariad

Y mae gweithred o gariad sy'n methu lawn cymaint rhan o'r cariad dwyfol ag yw gweithred o gariad sy'n llwyddo. Oherwydd yn ôl ei lawnder y mesurir cariad ac nid yn ôl ei dderbyniad.

Harold Loukes

745. Addoli a gweithredu

Dim ond yng nghyd-destun addoli a gweithredu y mae diwinyddiaeth yn gwneud synnwyr.

John Macquarrie

746. Crist ei Hun

Y mae Cristnogaeth yn fwy nag athrawiaeth. Crist ei Hun ydyw, yn byw yn y sawl y mae ef wedi eu huno ynddo'i hun mewn un corff cyfriniol.

Thomas Merton

747. Fy Nuw, fy Nuw

Fy Nuw, fy Nuw, mae gan y nos werthoedd na freuddwydiodd y dydd amdanynt.

Thomas Merton

748. Chwerthin

Mae gennyf syniad y gall chwerthin gyfryngu rhwng aruthredd ein tasg a chyfyngiadau ein gallu.

Jurgen Moltmann

749. Y Duw sy'n derbyn

Y mae a wnelo Cristnogaeth â derbyniad, ac os yw Duw yn fy nerbyn fel yr ydwyf, yna gallaf innau fentro gwneud yr un fath.

Hugh Montefiore

750. Gweddi dawel

Po fwyaf a dderbyniwn mewn gweddi dawel, mwyaf a roddwn mewn bywyd gweithgar.

Malcolm Muggeridge

751. Y Cristion

Y Cristion yw'r un sydd wedi rhoi heibio pob gobaith o allu meddwl amdano'i hun fel dyn da.

Lesslie Newbigin

752. Dewis Duw

Y mae ystyr di-ben-draw i'r datganiad fod Duw wedi dewis ffôl bethau'r byd i gywilyddio'r doeth, a gwan bethau'r byd i gywilyddio'r cryf; ond y mae byd o wahaniaeth rhwng credu a thybio fod Duw yn ymhyfrydu mewn anaeddfedrwydd, anallu a dryswch.

J. H. Oldham

753. Ffydd yn cario

Nid rhywbeth y mae'n rhaid i chi ei chario yw ffydd fyw, ond rhywbeth sydd yn eich cario chi.

J. H. Oldham

754. Cyhoeddi cariad

Cyhoeddi cariad rhad Duw yng Nghrist yw pregethu, neu nid pregeth Gristnogol mohoni.

Norman Pittenger

755. Materion moesol

Rwy'n awgrymu na ddylai Cristnogion ofni materion moesol dim ond am fod rhywun wedi gosod baner wleidyddol arnynt.

Gerald Priestland

756. Mae methiant yn bod

Nid yw Cristnogaeth yn ddim i ni os na allwn wynebu'r ffaith fod methiant yn bod.

Enoch Powell

757. Meddwl am Iesu

Y mae'r hyn a feddwl eraill ohonof fi yn ddibwys; mae'r hyn a feddyliant am Iesu o'm herwydd i yn dyngedfennol.

Cliff Richard

758. Person yw Cristnogaeth

Nid casgliad o wirioneddau i'w credu, na deddfau i ufuddhau iddynt, na gwaharddiadau yw Cristnogaeth. Mae hynny'n atgas. Person yw Cristnogaeth, un a'n carodd gymaint, un sy'n galw am ein cariad ninnau. Crist yw Cristnogaeth.

Óscar Romero

759. Ufudd-dod tawel

Y mae rhai pobl mor gadarn eu ffydd ac mor sicr o Dduw fel y gallant ei foliannu mewn poen, a cherdded drwy lyn y cysgodion gyda chân ar eu gwefusau. I'r rhan fwyaf ohonom, y mae'n gyfnod o ufudd-dod tawel.

W. E. Sangster

760. Da a drwg

Caiff y dewis rhwng da a drwg ei gyflwyno i ni bob dydd mewn ffyrdd syml.

W. E. Sangster

761. Newid er gwell

Y mae rhai pobl sy'n niweidio a difrodi popeth y maent yn ei gyffwrdd, ond y mae eraill sy'n llwyddo i adael popeth y deuant i gysylltiad ag ef, boed gyda'u dwylo, eu rheswm, eu meddwl neu'r galon, rywsut wedi'i newid er gwell. Felly y mae mewn ffordd anghymharol gydag Iesu.

Edward Schillebeeckx

762. Cariad Cristnogol

Y mae cymeriad cariad Cristnogol yn golygu ymwrthod â sloganau ac atebion parod a slic, a gwrthod gwrthgilio pan fo'r pwnc yn anodd.

David Sheppard

763. Coeden ffrwythau

Rhaid i Gristion ymdebygu i goeden ffrwythau ac nid i goeden Nadolig! Mae'r addurniadau coegwych wedi eu clymu wrth y goeden Nadolig; ond mae'r ffrwythau'n tyfu ar y goeden ffrwythau.

John Stott

764. Iesu Grist ydyw

Nid system ddiwinyddol, foesegol, ddefodol, gymdeithasol nac eglwysig yw Cristnogaeth – person ydyw: Iesu Grist ydyw, ac y mae bod yn Gristion yn golygu ei adnabod, ei ddilyn a chredu ynddo.

John Stott

765. Rhwyd o gariad

Y mae rhwyd o gariad y gallwch ddal eneidiau ynddi.

Y Fam Theresa

766. Gostyngeiddrwydd

Os ydych yn ostyngedig, ni all dim eich cyffwrdd, eich clodfori na'ch cywilyddio, oherwydd fe wyddoch beth ydych.

Y Fam Theresa

767. Wedi eich derbyn

Derbyniwch y ffaith eich bod wedi eich derbyn.

Paul Tillich

768. Y Beibl

Nid yw'r Beibl yn diwinydda; y mae'n adrodd storïau.

John J. Vincent

769. Ffydd

Y mae ffydd yn ei hanfod yn golygu cymryd rhywun ar ei air.

David Watson

770. Chwalu'r byd crefyddol

Y nos dywyll yw ymosodiad Duw ar grefydd. Os ydych wir yn dymuno undeb â chariad anhraethadwy Duw, yna y mae'n rhaid i chi fod yn barod i weld eich byd 'crefyddol' yn cael ei chwalu'n chwilfriw.

Rowan Williams

771. Llosgi pregethau

Unwaith bob saith mlynedd byddaf yn llosgi fy mhregethau oherwydd mae'n gywilydd i mi os na fedraf gyfansoddi pregethau gwell na'r hyn a wneuthum saith mlynedd yn ôl.

John Wesley

772. Uniongrededd

Gallwch fod mor uniongred â'r diafol ac yn llawn mor ddrwg.

John Wesley

773. Y bywyd sanctaidd

Y bywyd sanctaidd sy'n cynhyrchu'r argraff ddyfnaf. Does dim angen i oleudai ganu cyrn, dim ond goleuo.

D. L. Moody

774. Perthynas

Nid crefydd yw Cristnogaeth ond perthynas.

Anhysbys

775. Gwir ffydd

Dechrau pryder yw diwedd ffydd, a dechrau gwir ffydd yw diwedd pryder.

George Muller

776. Y Beibl

Y mae'r hyn a ddygwch o'r Beibl yn dibynnu i raddau ar yr hyn a rowch iddo.

Oliver Wendell Holmes

777. Maddeuant dwyfol

Y mae cyfeiliorni'n ddynol, y mae maddau'n ddwyfol.

Alexander Pope

778. Maddeuant
Y mae maddau i'r anedifeiriol fel tynnu lluniau ar ddŵr.

Dihareb o Siapan

779. Ufudd-dod
Ufudd-dod yw ffrwyth ffydd; amynedd yw'r blodeuyn ar y ffrwyth.

Christina Rossetti

780. Byw yn yr Arglwydd
Nid yw'r rhai sy'n byw yn yr Arglwydd fyth yn gweld ei gilydd am y tro olaf.

Dihareb o'r Almaen

781. Y gwirionedd
Cyrhaeddwn at y gwirionedd nid trwy reswm yn unig, ond hefyd trwy'r galon.

Blaise Pascal

782. Gair Duw
Ar gyfrif ei gariad mawr at ddynoliaeth, daeth Gair Duw i fod yr hyn ydym ni er mwyn ein gwneud ninnau'r hyn yw Ef ei hun.

Irenaeus

783. Cerdded gyda Iesu
Y mae'r Arglwydd Iesu Grist wrth ei fodd yn amlygu ei hunan i'r sawl sy'n mentro cerdded ochr llwm y bryn gydag ef.

Anhysbys

784. Cristnogion
Y mae Cristnogion yn cael eu creu ac nid eu geni.

Jerôm

785. Ofn
Nid yw ofn fyth yn gynghorwr da, a choncro ofn yw dyletswydd ysbrydol gyntaf dyn.

Nikolas Berdyaev

786. Gras
Gras yw cariad sy'n gofalu ac yn ymostwng ac yn achub.

John Stott

787. Y gwyrthiau

Ni fyddwn yn Gristion oni bai am y gwyrthiau.

Awstin Sant

788. Gras yn perffeithio

Nid yw gras yn dinistrio natur, y mae'n ei berffeithio.

Tomos o Acwin

789. Yn gyfoethog

Y mae'r hwn sy'n dlawd yng Nghrist yn ddigon cyfoethog.

Jerôm

790. Ffydd

Y mae ffydd yn agor y drws i ddealltwriaeth, y mae anghrediniaeth yn ei gau.

Awstin Sant

791. Cred a ffydd

Cred yw gwirionedd yn y meddwl. Ffydd yw tân yn y galon.

Joseph Newton

792. Gwneud yr hyn sy'n angenrheidiol

Dechreuwch drwy wneud yr hyn sy'n angenrheidiol; yna gwnewch yr hyn sy'n bosibl; ac yn sydyn yr ydych yn cyflawni'r amhosibl.

Ffransis o Asisi

793. Optimistiaeth radical

Ni all yr un Cristion fod yn besimist oherwydd y mae Cristnogaeth yn system o optimistiaeth radical.

W. R. Inge

794. Cristnogaeth dilys

A ydych am wybod fod eich Cristnogaeth yn ddilys? Dyma'r llinyn mesur. Pwy yw'r bobl yr ydych yn cyd-fynd â nhw? Pwy yw'r bobl sydd yn eich beirniadu? Pwy yw'r rhai sydd yn eich derbyn? Pwy yw'r rhai sydd yn eich canmol?

Óscar Romero

795. Trafferth
Cefais fwy o drafferth gyda mi fy hun na chyda neb arall.

D. L. Moody

796. Dal y peth iawn
Y drafferth gyda llawer ohonom yw i ni gael ein brechu gan ddognau bychain o Gristnogaeth sy'n ein cadw rhag dal y peth iawn.

Leslie Weatherhead

797. Y galon yn llamu
Un peth yw bod rhywun yn dweud wrthych fod gan y Beibl awdurdod am ei fod wedi ei ysbrydoli gan Dduw, ond peth arall yw teimlo'ch calon yn llamu ac yn ymafael yn y gwirionedd.

Leslie Weatherhead

798. Barod i fynd lawr
Rwy'n barod i fynd lawr os daliwch chi'r rhaffau.

William Carey

799. Bod yn ofalus
Bydd yn ofalus rhag pechodau bychain.

John Bunyan

800. Yr Efengyl sy'n achub
Do, ti a gefaist iachawdwriaeth ddidwyll, a ffydd ddihoced
Yr Efengyl sy'n achub yr enaid, a hefyd yn achub y boced.

Gwenallt

801. Ffydd yn sbardun
Ni ddylai ein ffydd fod yn ffon fagl i ddeallusrwydd cloff, ond yn ysbardun i welediad ysbrydol.

John Oman

802. Gwybodaeth heb ras
Fe all fod gwybodaeth heb ras fel tanwydd heb dân.

Morgan Llwyd

803. Chwilio'r meddyliau

Da yw chwilio'r meddyliau a nithio'r geiriau cyn eu dywedyd.

Morgan Llwyd

804. Rhywbeth gwiw dros Grist

Rwy'n wych, rwy'n wael, rwy'n gymysg oll i gyd
Mewn nych, mewn nerth, mewn helbul ac mewn hedd,
Rwy'n fydol ac ysbrydol yr un pryd,
Deg canmil yw fy meiau, ond cyn fy medd
Mi garwn wneuthur rhywbeth gwiw dros Grist
Fel nad edrycho arnaf mor rhyw drist.

R. Williams Parry

Cymdeithas a byd

805. Cyfiawnder i'r truan
Gwn y gwna'r Arglwydd gyfiawnder â'r truan, ac y rhydd farn i'r anghenus.

Salm 140:12

806. Trugaredd i'r tlawd
Y mae'r un sy'n trugarhau wrth y tlawd yn rhoi benthyg i'r Arglwydd, ac fe dâl ef yn ôl iddo am ei weithred.

Diarhebion 19:17

807. Mathru wyneb y tlawd
"Beth yw eich meddwl, yn ysigo fy mhobl ac yn mathru wyneb y tlawd?" medd yr Arglwydd, Arglwydd y Lluoedd.

Eseia 3:15

808. Ffyddlondeb a geisiaf
Oherwydd ffyddlondeb a geisiaf, ac nid aberth, gwybodaeth o Dduw yn hytrach na phoethoffrymau.

Hosea 6:6

809. Gwyn eu byd y trugarog
"Gwyn eu byd y rhai trugarog, oherwydd cânt hwy dderbyn trugaredd".

Mathew 5:7

810. Llawn anrhaith a drygioni
Ond meddai'r Arglwydd wrtho, "Yr ydych chwi'r Phariseaid yn wir yn glanhau tu allan y cwpan a'r ddysgl, ond o'ch mewn yr ydych yn llawn anrhaith a drygioni. Ynfydion, onid yr hwn a wnaeth y tu allan a wnaeth y tu mewn hefyd? Ond rhowch yn elusen y pethau sydd y tu mewn i'r cwpan, a dyna bopeth yn lân ichwi."

Luc 11:39–41

811. Rhannu ag eraill

Os wyt yn rhannu ag eraill, gwna hynny gyda haelioni; os wyt yn arweinydd, gwna'r gwaith gydag ymroddiad; os wyt yn dangos tosturi, gwna hynny gyda llawenydd.

Rhufeiniaid 12:8

812. Porthi eraill

Ac os rhof fy holl feddiannau i borthi eraill, ac os rhof fy nghorff yn aberth, a hynny er mwyn ymffrostio, a heb fod gennyf gariad, ni wna hyn ddim lles imi.

1 Corinthiaid 13:3

813. Gwaith Duw yw'r cyfan

Ond gwaith Duw yw'r cyfan — Duw, yr hwn sydd wedi ein cymodi ni ag ef ei hun trwy Grist a rhoi i ni weinidogaeth y cymod. Hynny yw, yr oedd Duw yng Nghrist yn cymodi'r byd ag ef ei hun, heb ddal neb yn gyfrifol am ei droseddau, ac y mae wedi ymddiried i ni neges y cymod.

2 Corinthiaid 5:18–19

814. Milwr dros Grist

Safwch, ynteu, â gwirionedd yn wregys am eich canol, a chyfiawnder yn arfwisg ar eich dwyfron, a pharodrwydd i gyhoeddi Efengyl tangnefedd yn esgidiau am eich traed.

Effesiaid 6:14–15

815. Rhoi diogelwch

"Oherwydd anrhaith yr anghenus a chri'r tlawd, codaf yn awr," meddai'r Arglwydd, "rhoddaf iddo'r diogelwch yr hiraetha amdano."

Salm 12:5

816. Gwyn ei fyd

Gwyn ei fyd y sawl sy'n ystyried y tlawd. Bydd yr Arglwydd yn ei waredu yn nydd adfyd; bydd yr Arglwydd yn ei warchod ac yn ei gadw'n fyw; bydd yn rhoi iddo ddedwyddwch yn y tir, ac ni rydd mohono i fympwy ei elynion.

Salm 41:1–2

817. Anrhydeddu'r Creawdwr

Y mae'r un sy'n gorthrymu'r tlawd yn amharchu ei Greawdwr, ond y sawl sy'n trugarhau wrth yr anghenus yn ei anrhydeddu.

Diarhebion 14:31

818. Gwnewch ddaioni

Peidiwch â gwneud drwg, dysgwch wneud daioni. Ceisiwch farn, achubwch gam y gorthrymedig, amddiffynnwch yr amddifad, a chymerwch blaid y weddw.

Eseia 1:17

819. Gwneud beth sy'n iawn

Dywedodd wrthyt, feidrolyn, beth sydd dda, a'r hyn a gais yr Arglwydd gennyt: dim ond gwneud beth sy'n iawn, caru teyrngarwch, ac ymostwng i rodio'n ostyngedig gyda'th Dduw.

Micha 6:8

820. Dyletswyddau crefyddol

"Cymerwch ofal i beidio â chyflawni eich dyletswyddau crefyddol o flaen eraill, er mwyn cael eich gweld ganddynt; os gwnewch, nid oes gwobr i chwi gan eich Tad, yr hwn sydd yn y nefoedd. Felly, pan fyddi'n rhoi elusen, paid â chanu utgorn o'th flaen, fel y mae'r rhagrithwyr yn gwneud yn y synagogau ac yn yr heolydd, er mwyn cael eu canmol gan eraill. Yn wir, rwy'n dweud wrthych, y mae eu gwobr ganddynt eisoes. Ond pan fyddi di'n rhoi elusen, paid â gadael i'th law chwith wybod beth y mae dy law dde yn ei wneud. Felly bydd dy elusen di yn y dirgel, a bydd dy Dad, sydd yn gweld yn y dirgel, yn dy wobrwyo.

Mathew 6:1–4

821. Pwy yw fy nghymydog?

Ond yr oedd ef am ei gyfiawnhau ei hun, ac meddai wrth Iesu, "A phwy yw fy nghymydog?" Atebodd Iesu, "Yr oedd rhyw ddyn yn mynd i lawr o Jerwsalem i Jericho, a syrthiodd i blith lladron. Wedi tynnu ei ddillad oddi amdano a'i guro, aethant ymaith, a'i adael yn hanner marw. Fel y digwyddodd, yr oedd offeiriad yn mynd i lawr ar hyd y ffordd honno; pan welodd ef, aeth heibio o'r ochr arall. Yr un modd daeth Lefiad hefyd at y man; gwelodd ef, ac aeth heibio o'r ochr arall. Ond daeth teithiwr o Samariad ato; pan welodd hwn ef, tosturiodd wrtho. Aeth ato a rhwymo ei glwyfau, gan arllwys olew a gwin arnynt; gosododd ef ar ei anifail ei hun, a'i arwain i lety, a gofalu amdano. Trannoeth tynnodd ddau ddarn arian allan a'u rhoi i'r gwesteiwr, gan ddweud, 'Gofala amdano. Os byddi wedi gwario rhywbeth dros ben, fe dalaf fi yn ôl iti pan ddychwelaf.' Prun o'r tri hyn, dybi di, fu'n gymydog i'r dyn a syrthiodd i blith lladron?" Meddai ef, "Yr un a gymerodd drugaredd arno." Ac meddai Iesu wrtho, "Dos, a gwna dithau yr un modd."

Luc 10:29–37

822. Trugarhewch

Trugarhewch trwy garu hedd,
Tro gwrol yw trugaredd.

William Llŷn

823. Cofia'r byd

Cofia'r byd, ond cyflawna yn y betws y pethau a berthyn i heddwch.

George M. Ll. Davies

824. Mwynhau Duw

Y mae dynion da yn defnyddio'r byd i fwynhau Duw, ond y mae dynion drwg yn defnyddio Duw er mwyn mwynhau'r byd.

Awstin Sant

825. Yr Ail Ddyfodiad

Y mae athrawiaeth yr Ail Ddyfodiad yn gwbl anghydnaws â chymeriad esblygiadol neu ddatblygiadol y meddwl cyfoes. Fe'n dysgwyd i ystyried y byd fel rhywbeth sy'n tyfu'n araf i gyfeiriad perffeithrwydd, rhywbeth sy'n datblygu neu'n esblygu. Nid yw'r syniad Apocalyptaidd Cristnogol yn cynnig y gobaith hwnnw.

C. S. Lewis

826. Dal ysbryd yr oes

Ni fwriadwyd i ŵr Duw ddal ysbryd yr oes erioed, ond i'w gondemnio a'i gywiro.

Vance Havner

827. Y byd

Y byd yw fy mhlwyf.

John Wesley

828. Diflastod byw ar y ddaear

Diflastod yn wir yw byw ar y ddaear. Po fwyaf ysbrydol y dymuna dyn fod, mwyaf oll y mae'r bywyd presennol yn ei chwerwi, am ei fod yn gweld diffygion llygredd dynol yn gliriach.

Thomas á Kempis

829. Gorsedd grym

Pan yw'r diafol a'r byd yn uno i erlid enaid Cristnogol, gosodant ef ar orsedd grym.

G. Campbell Morgan

830. Y Crist Croeshoeliedig

Efallai y cymer hi Eglwys Groeshoeliedig i ddwyn y Crist Croeshoeliedig i olwg y byd.

William E. Orchard

831. Eistedd yn esmwyth

A allai morwr eistedd yn ddi-hid pe clywai gri rhywun yn boddi? A allai meddyg eistedd yn gysurus a gadael i'r claf farw? A allai dyn tân eistedd yn ôl a gwylio rhywun yn llosgi? A elli di eistedd yn esmwyth yn Seion, â'r byd o'th gwmpas wedi ei ddamnio?

Leonard Ravenhill

832. Heb gyfiawnder

Heb gyfiawnder, beth yw teyrnasoedd ond mintai o ysbeilwyr?

Awstin Sant

833. Troi cefn ar y dorf

Rhaid i'r person sy'n dymuno arwain y gerddorfa droi ei gefn ar y dorf.

Max Lucado

834. Dau ddinistrydd

Marx a Freud yw dau o ddinistrwyr mawr y gwareiddiad Cristnogol. Y naill yn cyfnewid Efengyl cariad am efengyl casineb, a'r llall yn tanseilio'r cysyniad o gyfrifoldeb dynol.

Malcolm Muggeridge

835. Mae gen i Freuddwyd

'Rwy'n dweud wrthych heddiw, fy ffrindiau, er gwaetha'r anawsterau a'r rhwystrau fod gen i freuddwyd. Mae'n rhan o freuddwyd America.

Mae gen i freuddwyd y gwelaf y genedl hon yn codi ryw ddydd i fyw'r hyn a ddywed un o erthyglau ei chyfansoddiad: 'Daliwn fod y gwirionedd hwn yn eglur, fod pob dyn yn gydradd.'

Mae gen i freuddwyd y bydd meibion caethweision a meibion eu perchnogion yn abl i eistedd o gwmpas bwrdd brawdgarwch ar fryniau Georgia — rhyw ddydd.

Mae gen i freuddwyd y bydd talaith Mississippi hyd yn oed, ryw ddydd, ynys sy'n anial o ormes ac anghyfiawnder, yn cael ei newid i fod yn werddon o ryddid a chyfiawnder.

Mae gen i freuddwyd y bydd fy mhedwar plentyn yn medru byw, ryw ddydd, fel rhan o genedl lle bydd cymeriad yn bwysicach na lliw croen.

Mae gen i freuddwyd heddiw.

Mae gen i freuddwyd y bydd talaith Alabama, ryw ddydd, talaith sydd a'i llywodraethwr ar hyn o bryd yn cyhoeddi geiriau o warth a gwawd, yn cael ei newid i fod yn fan lle bydd bechgyn a merched duon yn abl i gydio yn llaw bechgyn a merched gwynion a chyd-gerdded ar yr heolydd.

Mae gen i freuddwyd heddiw.

Mae gen i freuddwyd: 'pob pant a gyfodir a phob mynydd a bryn a ostyngir, y gŵyr a wneir yn uniawn a'r anwastad yn wastadedd a gogoniant yr Arglwydd a ddatguddir a phob cnawd ynghyd a'i gwêl'.

Dyna ein gobaith. Dyna'r ffydd sydd gen i wrth droi yn ôl i'r De. Gyda'r ffydd hon gallwn gloddio o fynydd ein siom garreg o obaith. Gyda'r ffydd hon medrwn droi disgordiau aflafar ein cenedl yn symffoni hyfryd o frawdgarwch.

Gyda'r ffydd hon gallwn gyd-weithio, cyd-weddïo, cyd-ymdrechu, gan wybod y byddwn yn rhydd ryw ddydd.

Dyna'r diwrnod pan fedr plant Duw i gyd ganu gydag ystyr newydd,

Fy ngwlad, lle mae fy nghrud,
Di, wlad y rhyddid drud,
Derbyn fy nghân.
Gwlad fy hynafiaid cu,
Gwlad pererinion lu,
Seinier o'r bryniau fry
Glod rhyddid glân.

Os yw America i fod yn genedl fawr, rhaid i hyn ddod yn ffaith. Bydded i ryddid atsain o ben pob bryn yn New Hampshire. Bydded i ryddid seinio o ben pob mynydd yn Efrog Newydd. Bydded i ryddid seinio o gopaon uchel yr Alleghenies ym Mhensylfania. Bydded i ryddid seinio o ben mynyddoedd eiraog y Rockies yng Ngholorado. O bob mynydd, seinied rhyddid.

Pan adawn i ryddid seinio, pan adawn iddo seinio o bob pentref a threflan, o bob talaith a dinas, yna byddwn yn abl i brysuro'r dydd pryd y gall holl blant yr Arglwydd, du a gwyn, Iddew a Chenedl-ddyn, Protestaniaid a Chatholigion, gydio law yn llaw a chanu cân y Negro —

'Rhydd o'r diwedd! Rhydd o'r diwedd!
Diolch i'r Hollalluog Dduw, o'r diwedd yr ydym yn rhydd.'

Martin Luther King (cyfieithiad T. J. Davies)

836. Brawdoliaeth

Mae rhwydwaith dirgel Duw
Yn cydio pob dyn byw;
Cymod a chyflawn we
Myfi, Tydi, Efe.
Mae'n gwerthoedd ynddo'n gudd,
Ei dyndra ydyw'n ffydd;
Mae'r hwn fo'n gaeth yn rhydd.

Mae'r hen frawdgarwch syml
Tu hwnt i ffurfiau'r Deml.
Â'r Lefiad heibio i'r fan,
Plyg y Samaritan.
Myfi, Tydi, ynghyd
Er holl raniadau'r byd —
Efe'n cyfannu'i fyd.

Mae Cariad yn dreftad
Tu hwnt i Ryddid Gwlad.
Cymerth yr Iesu ran
Yng ngwledd y Publican.
Mae concwest wych nas gwêl
Y Phariseaidd sêl.
Henffych y dydd y dêl.

Mae Teyrnas gref, a'i rhaith
Yw cydymdeimlad maith.
Cymod a chyflawn we
Myfi, Tydi, Efe,
A'n cyfyd uwch y cnawd.
Pa werth na thry yn wawd
Pan laddo dyn ei frawd?

Waldo Williams

161

837. Y Tangnefeddwyr

Uwch yr eira, wybren ros,
Lle mae Abertawe'n fflam.
Cerddaf adref yn y nos,
Af dan gofio 'nhad a 'mam.
Gwyn eu byd tu hwnt i glyw,
Tangnefeddwyr, plant i Dduw.

Ni châi enllib, ni chai llaid
Roddi troed o fewn i'w tre.
Chwiliai 'mam am air o blaid
Pechaduriaid mwya'r lle.
Gwyn eu byd tu hwnt i glyw,
Tangnefeddwyr, plant i Dduw.

Angel y cartrefi tlawd
Roes i 'nhad y ddeuberl drud:
Cennad dyn yw bod yn frawd,
Golud Duw yw'r anwel fyd.
Gwyn eu byd tu hwnt i glyw,
Tangnefeddwyr, plant i Dduw.

Cenedl dda a chenedl ddrwg —
Dysgent hwy mai rhith yw hyn,
Ond goleuni Crist a ddwg
Ryddid i bob dyn a'i myn.
Gwyn eu byd, daw dydd a'u clyw,
Dangnefeddwyr, plant i Dduw.

Pa beth heno, eu hystâd,
Heno pan fo'r byd yn fflam?
Mae Gwirionedd gyda 'nhad
Mae Maddeuant gyda 'mam
Gwyn ei byd yr oes a'u clyw,
Dangnefeddwyr, plant i Dduw.

Waldo Williams

838. Y Tangnefeddwyr

Molwn Di, O! Dduw, am bawb sy'n tramwyo ffordd tangnefedd;
y rhai trwy addfwynder nerthol sy'n ymwrthod â ffordd
y dial, ac yn ymwybod ag ystyr heddwch.
Canmolwn hwy am eu dewrder gloyw a'u cydbwysedd tawel
wrth dalu'r pris. Eu dyfalwch hirhoedlog yw eu nerth, wrth
iddynt fod yn ufudd i'w gweledigaeth.
Fel y daw iechyd o belydrau'r haul, felly y daw daioni o'u
tystiolaeth hwy, ac o'u gweithredu cariadus. Ni lwydda'r
tywyllwch i ddiffodd eu goleuni.
Iddynt hwy nid oes gyfaddawd ag uffern ac nid oes
gymrodedd â Satan; ni fynnant arddel y grym sy'n difa na'r pŵer
sy'n parlysu.
Ni thwyllir hwy gan resymu gwyrgam ac ni phrynir hwy ag
addewidion ffals. Eu rhesymoldeb gwâr yw eu harf finiocaf, a'u
dioddefgarwch yw coron eu cenhadaeth.
Pan fo uchel y waedd am arfau, taer fydd eu deisyf dros y
ffordd arall. Pan rydd y beilchion eu ffydd yn nhaflegrau'r fall,
hwy a ymddiriedant mewn dealltwriaeth a chyfeillgarwch. Ar
faddeuant y pwysant ac mewn trugaredd y gwreiddia eu cred.
Eu ffydd a geidw'r llwybrau yn agored i gymod ac ymddiriedaeth.
Eu hargyhoeddiad yw gobaith gwerin rhag y dinistr
eithaf. A daw yfory i gyhoeddi eu cymwynasgarwch.
Molwn Di, O! Dduw, am bawb sy'n tramwyo ffordd
tangnefedd. Dy blant yw'r rhai hyn, ac ynddynt yr ymfodloni.

W. Rhys Nicholas, **Gweddïau a Salmau**

839. Pa beth yw dyn ?

Beth yw byw? Cael neuadd fawr
Rhwng cyfyng furiau.
Beth yw adnabod? Cael un gwraidd
Dan y canghennau.

Beth yw credu? Gwarchod tref
Nes dyfod derbyn.
Beth yw maddau? Cael ffordd trwy'r drain
At ochr hen elyn.

Beth yw canu? Cael o'r creu
Ei hen athrylith.
Beth yw gweithio ond gwneud cân
O'r coed a'r gwenith?

Beth yw trefnu teyrnas? Crefft
Sydd eto'n cropian.
A'i harfogi? Rhoi'r cyllyll
Yn llaw'r baban.

Beth yw bod yn genedl? Dawn
Yn nwfn y galon.
Beth yw gwladgarwch? Cadw tŷ
Mewn cwmwl tystion.

Beth yw'r byd i'r nerthol mawr?
Cylch yn treiglo.
Beth yw'r byd i blant y llawr?
Crud yn siglo.

Waldo Williams

840. Gweithredoedd ymarferol

Y mae crefydd, yn ôl dehongliad Cristnogaeth, yn gymdeithasol yn ei hanfod, canys nid yw ddim amgen na chymdeithas rhwng dyn a Realiti gwrthrychol sydd uwchlaw iddo, a thu allan iddo, yn ogystal ag ynddo. Nid oes a wnelo hi â Phantheistiaeth amhersonol nac â Deistiaeth a alltudiodd Dduw allan o gyrraedd dyn. Heblaw hynny, trwy gysylltiadau mwyaf naturiol y gymdeithas ddynol, trwy rieni a cheraint ac athrawon a chymdogion, y daw'r dyn unigol i adnabod y cariad a'r gwirionedd, y cymorth a'r cyfiawnder a'r gyfeillach agos y gwelir eu perffeithrwydd yn Nuw. Felly y mae i'r grefydd fwyaf 'personol' natur gymdeithasol a chefndir cymdeithasol. Ac y mae hefyd i'r grefydd fwyaf 'cymdeithasol' elfen bersonol hanfodol; megis nad ydyw cylch crwn ond nifer aneirif o bwyntiau y penderfynir eu perthynas i'w gilydd gan berthynas pob un i'r canolbwynt. Yr un modd, cadarnhau ei gilydd a wna'r bywyd myfyrgar a'r bywyd ymarferol. Ni fyn crefydd fod heb y naill na'r llall. Heb y myfyrdod sy'n adnewyddu ac yn eglurhau perthynas y dyn unigol â Duw, cyll ei weithredoedd eu cymeriad o wasanaeth llawen, dihunan; rhoddant le i'r syniad am werth personol ac am haeddiant a gais wobr. Ceir gwasanaeth, ond collir gostyngeiddrwydd. Heb weithredoedd ymarferol try myfyrdod ar Dduw yn hunanfwyniant (neu'n hunanddychryn) niweidiol.

D. Emrys Evans

841. Amodau Cymdeithas Newydd

Ffurf newydd ar gymdeithas! Rhaid wrth rymusterau gwir chwyldroadol i gyflawni hyn. Nid ar chwarae bach y newidir ac yr ailffurfir cymdeithas. Cymerodd dros chwarter canrif i ddatod yr hen gymdeithas a esgorodd ar yr hyn y buom trwyddo; a phennod boenus a drud yw hanes y datod, fel y gŵyr y rhan fwyaf ohonom. Nid adeilad unnos fydd y gymdeithas newydd. Gwaith araf fydd ei chreu, gwaith drud hefyd i rywrai. Nid am ddim y cawn hi: gwerth gwaed fydd. Golyga ddioddef i rywrai, ac nid pob dioddef a wna'r tro. Ni thycia dioddef damweiniol neu orfodol, ac ni wna dioddef drwgweithredwyr y tro ychwaith. Ymddengys fod rhyw gred yn ffynnu heddiw nad oes raid i'r gorchfygwyr ond carcharu neu grogi pob un a fernir ac a brofir yn ddrwgweithredwr er mwyn cael gwell a diogelach dyfodol. Ffiloreg i gyd! Nid yng ngwaed drwgweithredwyr y mae had cyfnod newydd.

Dim ond dioddefaint y sawl a wybu ac a faidd wneuthur ewyllys Duw fel y'i datguddir yng Nghrist Iesu a symud ymaith y gwelyau crawnllyd, ac a sicrha'r gymdeithas a gyflawna'r hyn sydd yn ôl o ddioddefiadau Crist. Y groes yw ein gobaith. Nid croes yn y pellter draw â rhyw swyn cyfareddol ynddi, nad yw'n rhaid ond edrych arni a chanu amdani i sicrhau ei meddyginiaeth; ond y groes a lunia'r byd rheibus, rhagrithiol, ariangar i'r rhai a wna ewyllys y Tad, doed a ddelo. Ar y llwybr hwn y sicrheir y gymdeithas newydd – arwain y miloedd sydd yn deffro, ond sydd fel defaid heb fugail ac ar drugaredd yr Anghristiau a'u defnyddia at eu pwrpas hunanol eu hunain.

J. H. Griffith

842. Gobaith Dinas Duw

Cenadwri derfynol Awstin yw bod gobaith y credadun y tu hwnt i ewyllys anwadal dyn a chyraeddiadau ansicr gwareiddiadau a theyrnasoedd byd. Y gobaith hwn sy'n cynnal y Cristion ar ei daith drwy'r byd, ac yn ei alluogi i ddioddef adfyd ac erlid a phob siomedigaeth flin. Sylfaenir y gobaith Cristnogol ar yr Ymgnawdoliad, ac fe'i cyflawnir y tu hwnt i hanes. Cynhaliwyd y Cristnogion hynny a ddioddefodd adfyd yng nghwymp cyffredinol un o wareiddiadau mawr y byd gan y gobaith am yr heddwch hwnnw na all nac amser na drygioni ei lygru; yr heddwch a oedd yn eiddo iddynt eisoes drwy ffydd ac a feddiennid ganddynt yn y man drwy olwg. Gwyddai Ann Griffiths hithau am y drefn hon:

> "Eu ffydd tu draw a dry yn olwg,
> A'u gobaith eiddil yn fwynhad."

Eithr er eiddiled y gobaith, gŵyr Awstin ac Ann Griffiths ei fod yn ddigon grymus i'w galluogi i ymadael ag eilunod gwael y llawr, yn awr yng nghanol eu rhan hwy o hanes y byd. Yng ngrym y 'Diwedd' fe drechir amgylchiadau dyrys hanes. "Wele'r hyn a fydd yn y diwedd nad oes diwedd arno." "Yno cawn orffwys a gweled, cawn weled a charu, cawn ganu a moliannu" (Awstin).

"Mi gaf yno weld a garwyf," meddai William Williams o Bantycelyn yntau, gan gysylltu'r ddeunawfed ganrif a'r bumed, a chyhoeddi'r un ffydd a'r un gobaith ag Awstin: "Canys pa ddiben sydd inni ond dyfod ohonom i'r Deyrnas honno nad oes dibennu arni."

Gwilym Bowyer

843. Addfwynder

Nid yw 'addfwynder' ar yr olwg gyntaf yn rhinwedd addas i goncwerwr daear. Beth yw'r cysylltiad? Y gair a ddefnyddiodd William Salesbury yn Nhestament 1567 oedd 'gwaredigenus'. Gwelwn pam y dewisodd y gair anghyffredin hwn ond inni gofio mai un o ystyron y gair Groeg yw 'dof'. Yr anifail dof yw'r un a ddiddyfnwyd oddi wrth ei wylltineb, a'i wareiddio. Y gŵr addfwyn yw'r gŵr gwâr. Nid oes dim yn wyllt na barbaraidd ynddo. Mae'n gwybod sut mae ymddwyn ym myd Duw; dysgodd gwrteisi'r Deyrnas. A phan fydd gwareiddiad Duw wedi meddiannu'r ddaear, ni fydd lle mwyach i anwariaid ... Pobl sydd wedi eu gwareiddio i Deyrnas Dduw biau'r dyfodol; nhw sy'n mynd i etifeddu'r ddaear. Difa ac anrheithio'r ddaear y mae'r bobl sy'n aros yn anwareidd-dra pechod, ac nid oes ddyfodol iddynt hwy nac i'r byd dan eu rheolaeth.

R. Tudur Jones

844. Gwlad y breintiau

    Os gwlad y breintiau gawsom ni
        Yn gartre 'more oes,
    Mae'n fwy o ddyled arnom ddweud
        Wrth bawb am Grist a'i Groes

Elfed

845. Creawdwr

Os yw'r Creawdwr yn Dad, bwriadwyd dynoliaeth i fod yn deulu, a phob cenedl ei chyfraniad fel aelod o'r teulu.

E. Tegla Davies

846. Y Tangnefeddwr

    Rhoi ei fawl i'r rhyfelwr – a wna'r byd,
        Rhoi ei barch i'r arwr;
      Onid gwell gwynfyd y gŵr
      A faidd fyw'n dangnefeddwr?

D. Gwyn Evans

847. Pechod

Po hynaf y bydd pechod, cryfaf a fydd.

Robert Jones, Llanllyfni

848. Y mwyaf gostyngedig
Y tywysennau llawnaf ac aeddfetaf o ŷd yw'r rhai a blygant isaf tua'r
ddaear; yr un modd y dynion mwyaf gostyngedig yw'r rhai mwyaf
sanctaidd a ffrwythlawn.

Robert Jones, Llanllyfni

849. Cristion segur
Y mae Cristion segur yn ysglyfaeth barod i ddiafol prysur.

Robert Jones, Llanllyfni

850. Rhodder i'r ddaear
Rhodder i'r ddaear waddol,
Ei rhan hi fydd rhoi yn ôl.

Roger Jones

851.Y crefyddol
Gonestach yw'r Agnostig
Na'r crefyddol, duwiol, dig.

Roger Jones

852. Ffydd a diwylliant
Mae ffydd yn ei mynegi'i hun mewn diwylliant. Os ffynna'r diwylliant,
cryfheir ffydd; os chwelir y diwylliant, tanseilir ffydd.

R. Tudur Jones

853. Gwinllan a roddwyd
Gwinllan a roddwyd i'm gofal yw
Cymru fy ngwlad,
I'w thraddodi i'm plant
Ac i blant fy mhlant
Yn dreftadaeth dragwyddol;
Ac wele'r moch yn rhuthro arni i'w maeddu.
Minnau yn awr, galwaf ar fy nghyfeillion,
Cyffredin ac ysgolhaig,
Deuwch ataf i'r adwy,
Sefwch gyda mi yn y bwlch,
Fel y cadwer i'r oesau a ddêl y glendid a fu.

Saunders Lewis

854. Gair ein Duw

Gair ein Duw sy'n byw a bod,
Sŵn y dyrfa sy'n darfod.

Idwal Lloyd

855. Dy elyn yw dialedd

Dy elyn yw dialedd
O noddi hwn ni ddaw hedd:
Am ffrwythau o hadau hedd
Y tir gorau trugaredd.

O. M. Lloyd

856. Nid concwest

Nid concwest yw concwest cad
A gwerin yn ddigariad.

W. Rhys Nicholas

857. I ddangos cred

I ddangos cred gweithreda
Ni wêl dyn dy feddwl da.

W. Rhys Nicholas

858. Sêl grefyddol

Nid oes sêl debyg i sêl grefyddol, na gorthrwm tebyg i orthrwm
crefyddol.

Daniel Owen

859. Di-hid o'i wae

Di-hid o'i wae ydyw dyn
Di-hid o'i dynged wedyn.

Brinley Richards

860. Hynny o grefydd sydd gennyf

Megis yn hanes yr Iddew gynt, mae hynny o grefydd sydd gennyf yn
rhwym mewn modd annatod wrth fy nghenedl fy hun, a'i thraddodiadau
Cristionogol yn rhan o'm henaid innau.

D. J. Williams

861. Gwaith dyn

'Gwaith dyn yw creu diwylliant. Dyma'r her a'r hyfrydwch sy'n rhoi gwefr i'w fywyd. Yr argyhoeddiad Cristnogol yw bod a wnelo'r gwaith hwn â chrefyddolder dyn. Wrth greu diwylliant, mae dyn yn gwrthrychu'r ffydd sy'n rheoli'i galon.'

'O'r safbwynt Cristnogol, felly, y mae'n bosib i'n cenedligrwydd fod yn un o'r amryfal gyfryngau i fynegi gogoniant yr hwn a'n symudodd o dywyllwch.'

'Drwg imperialaeth (ac ni waeth pa un ai erchyll ai tyner ei dulliau) yw ei bod yn lladd gobaith cenhedloedd llai am gael gwasanaethu Crist yn uniongyrchol fel eu Harglwydd. Neu a gosod y peth mewn ffordd arall, imperialaeth yw cenedlaetholdeb yn ymddyrchafu megis duw ac yn difa cenedligrwydd eraill. Mae felly'n cablu. Mae'n difa trefn Duw yn ei fyd.'

862. Hunanlywodraeth

'Nid polisi hwylus yw hunanlywodraeth i Gymru ond y cam nesaf yn ei thyfiant tuag at aeddfedrwydd gerbron Brenin y brenhinoedd.'

R. Tudur Jones

863. Ail-adrodd trosedd gwŷr Babel

'Os oedd pobl yng Nghymru ac yn Lloegr yn meddwl y gallent ddiwreiddio'r Gymraeg a gorseddu Saesneg yn enw rhyw gyd-wladoldeb bas, nid oeddynt namyn yn ailadrodd trosedd gwŷr Babel.'

864. Gwleidyddiaeth trwy iachawdwriaeth

'Rhan o waith llaw chwith Duw yw chwalu ymerodraethau. Gwaith ei law dde yw gweinidogaeth cymod ei Fab. Nid oes iachawdwriaeth trwy wleidyddiaeth. Ond y mae gwleidyddiaeth trwy iachawdwriaeth hefyd. Nid oes dim yn fwy trawiadol yn hanes y byd modern na'r ffordd y bu'r Efengyl yn esgor ar iachach gwleidyddiaeth.'

R. Tudur Jones

865. Cydweithrediad

'I mi mae'r hen bwyslais ar gydweithrediad, ar gryfhau cyfrifoldeb bro ac ardal, ar geisio creu cymdeithas amlganolog, gyda'r Wladwriaeth yn cymryd ei lle fel ffurf gymdeithasol ymhlith llawer o ffurfiau cymdeithasol eraill, a'r cwbl trwy ei gilydd a chyda'i gilydd yn galluogi pobl i fyw'n rhydd a ffyniannus - i mi, mae'r athrawiaeth hon yn dal yn berthnasol. Ac mae hi hefyd yn athrawiaeth sydd, yn fy nhyb i, yn gorwedd yn esmwythach ar gydwybod y Cristion na'r un arall.'

R. Tudur Jones

866. Beibl y tlawd

Mae ein Beibl ni yn orlawn o achosion gwladwriaethol; os rhaid i ni fyned â pholitics allan o'r addoldai, y mae yn rhaid i ni fyned â'r Beibl allan – y mae politics y byd yn hwn. Fe synnech yr hyn sydd yn cael ei ddweud ynddo yn achos y tlawd, yr amddifad, yr anghenog – y mae'r Beibl yn Feibl y tlawd mewn modd neilltuol.

Gwilym Hiraethog

867. Aileni dynion

At aileni dynion y cyrchai Crist a'i Apostolion, ac nid oeddent yn eu gweinidogaeth ar y dechrau yn ymosod ar gaethwasiaeth, na llywodraeth ormesol. Eu pwnc mawr hwy oedd newid y galon: ac ond cael newid dynion yn gyffredinol oddi fewn, ym mhen ysbaid, difodid caethwasiaeth, a phob gormes gwladol a chrefyddol.

Michael D. Jones

868. Cyfiawnder i'r cenhedloedd

Mae'r Beibl wedi ei ollwng allan i ddysgu egwyddorion cariad a chyfiawnder i'r cenhedloedd.

Michael D. Jones

869. Cyfiawnder

Y mae cyfiawnder a ohiriwyd yn gyfiawnder a wrthodwyd.

William Ewart Gladstone

870. Y merthyr

Pan yw'r gorthrymwr yn marw, y mae ei deyrnasiad yn marw. Pan yw'r merthyr yn marw, y mae ei deyrnasiad yn cychwyn.

Søren Kierkegaard

871. Doethineb

Doethineb yw defnydd gorau gwybodaeth. Nid gwybod yw bod yn ddoeth ... nid oes yr un ynfytyn mwy na'r ynfytyn gwybodus. Ond y mae gwybod sut mae defnyddio gwybodaeth yn ddoethineb.

Charles H. Spurgeon

872. Mawrion weithredoedd Duw

Pan fydd Duw yn dymuno cyflawni ei fawrion weithredoedd bydd yn hyfforddi rhywun i fod yn ddigon tawel a digon bychan, ac yna ei ddefnyddio.

James Hudson Taylor

873. Gwneud y pethau cyffredin

Nid yw Duw yn dymuno i ni wneud pethau anghyffredin. Y mae'n dymuno i ni wneud pethau cyffredin yn anghyffredin o dda.

Charles Gore

874. Cariad

Cariad sy'n gwneud y gwahaniaeth rhwng dienyddiad a merthyrdod.

Evelyn Underhill

875. Gair olaf Duw

Nid gair olaf y byd amdano'i hun yw cariad Cristnogol – gair olaf Duw amdano'i hun ydyw ac felly am y byd.

Hans Urs von Balthasar

876. Arestio Crist

Mae'n debyg y byddai Crist yn y wlad hon [De Affrig] wedi ei arestio o dan Ddeddf Atal Comiwnyddiaeth.

Joost de Blank

877. Dallineb lliw

Rwy'n dioddef o glefyd nad oes gwellhad iddo – dallineb lliw.

Joost de Blank

878. Gweithred Duw

Dylid diffinio gweithred Gristnogol fel gweithred Duw drwy gyfrwng dyn.

Anthony Bloom

879. Bywyd yn ei gyfanrwydd
Rwy'n dadlau dros bregethu sy'n llefaru wrth y person cyfan ac wrth fywyd yn ei gyfanrwydd.

Allan Boesak

880. Esgidiau Duw
Os yw Duw yn ei anfon ar hyd llwybrau caregog y mae'n darparu esgidiau cryf.

Corrie ten Boom

881. Sefyllfa arswydus y byd
Daeth y byd i sefyllfa arswydus wrth ddyrchafu elw fel y prif gymhelliad dros ddatblygiad dynol, a gosod cystadleuaeth yn brif ddeddf economeg.

Helder Câmara

882. Cyflwr isddynol meibion Duw
Gwylier rhag defnyddio ofn Comiwnyddiaeth fel esgus i osgoi newid yn y strwythurau sy'n cyfyngu miliynau o feibion Duw i gyflwr isddynol.

Helder Câmara

883. Creu llanast o'r byd
Creodd Duw fyd, ac fe wnaethom ninnau lanast ohono.

Harvey Cox

884. Newid cymdeithasol
Rhaid i fan cychwyn unrhyw ddiwinyddiaeth am yr eglwys fod yn ddiwinyddiaeth newid cymdeithasol.

Harvey Cox

885. Dirnadaeth o Dduw
Y mae'n sylfaenol i'm cred yn Nuw ei fod ef neu hi yn datguddio'i hun i bawb ym mhob diwylliant bob amser, oherwydd y mae'n bosibl i bawb gael dirnadaeth o Dduw.

Richard Harries

886. Byd heddychlon a chryf
Dim ond byd sydd yn wir ddynol all fod yn fyd heddychlon a chryf.

Y Pab Ioan Pawl II

887. Mewn carchar

Pan ddywedodd Crist, 'Yr oeddwn yng ngharchar ac ymwelsoch â mi', ni wnaeth wahaniaeth rhwng yr euog a'r dieuog.

Y Pab Ioan Pawl ll

888. Trais yn drosedd

Y mae trais bob amser yn drosedd, ac yn sarhad ar ddyn, i'r sawl sy'n ei achosi yn ogystal â'r sawl sy'n ei ddioddef.

Y Pab Ioan Pawl ll

889. Gwneud daioni

Darllenais yn rhywle fod y gŵr ifanc hwn, Iesu Grist, wedi mynd o gwmpas gan wneud daioni. Dim ond mynd o gwmpas fyddaf i.

Toyohiko Kagawa

890. Maddeuant

Dywed pawb fod maddeuant yn syniad hyfryd nes bod ganddynt rywbeth i'w faddau.

C. S. Lewis

891. Diwinyddiaeth

Eich diwinyddiaeth yw'r hyn ydych pan fo'r siarad wedi gorffen a'r gweithredu wedi dechrau.

Colin Morris

892. Cristnogion yn bygwth

Yn ôl y diffiniad gall Cristnogion fod yn fygythiad i unrhyw wladwriaeth.

Colin Morris

893. Gwareiddiad gorllewinol

Mae'r hyn a elwir yn wareiddiad gorllewinol wedi cyrraedd i stad eithaf dadelfeniad.

Malcolm Muggeridge

894. Democratiaeth

Y drwg mewn dyn sy'n gwneud democratiaeth yn angenrheidiol; a chred dyn mewn cyfiawnder sy'n ei wneud yn bosibl.

Reinhold Niebuhr

895. Neb ar ôl

Yn gyntaf, daethant i gyrchu'r Iddewon. Cedwais yn dawel. Nid oeddwn yn Iddew. Yna daethant i gyrchu'r Comiwnyddion. Cedwais yn dawel. Nid oeddwn yn Gomiwnydd. Yna daethant i gyrchu aelodau'r Undebau Llafur. Cedwais yn dawel. Nid oeddwn yn perthyn i Undeb Llafur. Yna daethant i'm cyrchu i. Doedd neb ar ôl i siarad drosof.

Martin Niemoller

896. Rhodd i'w rannu

Y mae llawer iawn o drais wedi ei sylfaenu ar y syniad mai eiddo i'w amddiffyn yw bywyd ac nid rhodd i'w rannu.

Henri Nouwen

897. Yfory

Yfory nid yw Duw yn mynd i ofyn
Beth a freuddwydiaist?
Beth a feddyliaist?
Beth a gynlluniaist?
Beth a bregethaist?
Y mae'n mynd i ofyn
Beth a wnaethost?

Michel Quoist

898. Pregethu trais

Nid ydym wedi pregethu trais erioed, ar wahân i drais cariad, a adawodd Crist wedi ei hoelio wrth Groes, y trais y mae'n rhaid i ninnau ei gyflawni arnom ein hunain er mwyn goresgyn ein hunanoldeb a'r anghyfartaledd mawr sy'n bodoli yn ein plith.

Óscar Romero

899. Ymdrech mae Duw yn hawlio

Gwyddom fod pob ymdrech i wella cymdeithas, yn arbennig pan yw anghyfiawnder a phechodau mor gynhenid, yn ymdrech y mae Duw yn ei bendithio, yn ei dymuno ac yn ei hawlio gennym.

Óscar Romero

900. Mab Duw addfwyn tyner

Mae'n ymddangos mai'r unig beth a gynhyrfodd Mab Duw 'addfwyn tyner' i gyflawni trais corfforol oedd y dybiaeth mai 'busnes yw busnes'.

Dorothy L. Sayers

901. Cyfiawnder

Y mae'r alwad i gyfiawnder yn merwino clustiau.

David Sheppard

902. Gwrando

Dyletswydd gyntaf cariad yw gwrando.

Paul Tillich

903. Nid o'r byd

Y mae gwasanaeth a chenhadaeth Duw yn y byd yn gwbl ddibynnol ar ei bod yn wahanol i'r byd; bod yn y byd ond nid o'r byd.

Jim Wallis

904. Caru rhyddid

Caru rhyddid yw caru eraill; caru grym yw caru ein hunain.

William Hazlitt

905. Hunanaberth

Yn ei ffordd ei hun y mae hunanaberth yn dda, ond gwyliwn rhag i ni aberthu ar draul eraill.

Kathleen Hinkson

906. Goleuwch gannwyll

Na felltithiwch y tywyllwch – goleuwch gannwyll.

Dihareb Dsieineaidd

907. Dymuno mwy

Nid yr un sydd ganddo ychydig ond yr un sy'n dymuno mwy, sy'n dlawd.

Dihareb Ladin

908. Goleuo cannwyll arall

Nid yw cannwyll yn colli dim wrth oleuo cannwyll arall.

Anhysbys

176

909. Cerdded y ffordd
Dim ond un ffordd sydd i fagu plentyn i gerdded ar hyd y ffordd gywir, a hynny yw drwy gerdded y ffordd honno eich hunan.

Abraham Lincoln

910. Y bai mwyaf
Y bai mwyaf yw bod yn anymwybodol o'r un.

Thomas Carlyle

911. Clodfori saint marw
Ffordd y byd yw clodfori saint marw ac erlid y rhai byw.

Anhysbys

912. Duw yn fwyd
I ddyn ar stumog wag, bwyd yw Duw

Mahatma Gandhi

913. Bwydwch y dyn
Gan fod cymaint o bobl yn newynu yn ein byd, y mae'r Cyngor cysegredig hwn yn galw ar bawb, unigolion a llywodraethau, i gofio dywediad y Tadau. "Bwydwch y dyn sy'n marw o newyn, oherwydd os na fyddwch wedi ei fwydo byddwch wedi ei ladd."

Cyngor y Fatican

914. Trugaredd
Trugaredd yw cyflawniad cyfiawnder ac nid ei ddiddymiad.

Tomos o Acwin

915. Trugaredd Duw
Cyflwynwn bobl i drugaredd Duw, a dangos dim ein hunain.

George Elliot

916. Y nefoedd yn iachau
Nid oes i'r ddaear dristwch na all y nefoedd ei iachau.

Thomas Moore

917. Twpsyn mawr

Un diwrnod, yn fy anobaith teflais fy hun ar y gadair yn y feddygfa ac ochneidio, "Dyna dwpsyn oeddwn i'n dod allan yma yn feddyg i anwariaid fel rhain!" Ar hynny meddai Joseph yn dawel, "Ie, doctor, yma ar y ddaear rwyt ti'n dwpsyn mawr, ond nid yn y nefoedd."

Albert Schweitzer

918. Tro'r glust fyddar

Tro'r glust fyddar i sylwadau angharedig am eraill, a chau dy lygaid i feiau pitw dy frodyr.

Walter Scott

919. Duw sy'n creu ein cymydog

Ni sy'n creu ein ffrindiau; ni sy'n creu ein gelynion; ond Duw sy'n creu ein cymydog drws nesaf.

G. K. Chesterton

920. Daw dyn yn sanctaidd

Daw dyn yn sanctaidd, yn gymydog, dim ond trwy sylweddoli ei fod yn eiddo Duw a bod Iesu Grist wedi marw drosto.

Helmut Thielicke

921. Byw heb gymydog

Does neb yn ddigon cyfoethog i fyw heb gymydog.

Dihareb o Ddenmarc

922. Câr dy gymydog

Câr dy gymydog hyd yn oed pan fydd yn chware'r trombôn!

Dihareb Iddewig

923. Segurdod

Segurdod yw clod y cledd
A rhwd yw ei anrhydedd.

Gwilym Hiraethog

924. Un droed ymlaen

Am fywoliaeth fach, bydd dyn yn rhedeg ffordd bell; am fywyd tragwyddol, ni fydd llawer yn symud un droed ymlaen.

Thomas á Kempis

925. Gweledigaeth o dragwyddoldeb
Ni fydd gan yr hwn nad oes ganddo weledigaeth o dragwyddoldeb fawr o afael ar amser.

Thomas Carlyle

926. Undeb dynion
Undeb dynion â Duw yw undeb dynion â'i gilydd.

Thomas o Acwin

927. Efengyl Duw
Nid yn y Beibl yn unig y mae Duw yn ysgrifennu'r Efengyl, ond ar goed, blodau, cymylau a sêr.

Martin Luther

928. Llawenydd yn y byd
Os oes llawenydd yn y byd, y mae'r pur ei galon yn feddiannol ohono.

Thomas á Kempis

929. Gwybodaeth
Er yr holl wybodaeth, y mae un peth yn sicr na ŵyr yr un dyn: p'run ai yw'r byd yn hen neu yn ifanc.

G. K. Chesterton

930. Gwella'r byd
Onid yw hi'n rhyfeddol nad oes angen i neb aros am un eiliad cyn dechrau gwella'r byd.

Anne Frank

931. Galwedigaeth
Galwedigaeth pob gwryw a benyw yw gwasanaethu pobl eraill.

Leo Tolstoy

932. Dim ond un Efengyl
Y mae gan y byd lawer o grefyddau, ond dim ond un Efengyl.

George Owen

933. Rhyddid i wneud camgymeriadau
Nid yw rhyddid yn werth ei gael os nad yw'n cynnwys y rhyddid i wneud camgymeriadau.

Mahatma Gandhi

934. Dau fath o ryddid

Y mae dau fath o ryddid: y ffals, pan yw dyn yn rhydd i wneud fel y mynno; a'r gwir, pan yw dyn yn rhydd i wneud yr hyn a ddylai.

Charles Kingsley

935. Dynion drwg

Nid oes yr un dyn drwg yn rhydd.

Dihareb Roegaidd

936. Cydwybod

Cydwybod yw presenoldeb Duw mewn dyn.

Emanuel Swedenborg

937. Y cyfaill gorau

Y pregethwr gorau yn y byd yw'r galon; yr athro gorau yw amser; y llyfr gorau yw'r byd; y cyfaill gorau yw Duw.

Y Talmud

938. Profiad

Nid yr hyn sy'n digwydd i ddyn yw profiad; profiad yw'r hyn a wna dyn gyda'r hyn sy'n digwydd iddo.

Aldous Huxley

939. Trafferth

Peidiwch â thrafferthu trafferth, nes bod trafferth yn eich trafferthu chi.

Anhysbys

940. Heddiw

Heddiw yw'r fory yr oeddech yn poeni amdano ddoe.

Anhysbys

941. Yr athro

Y mae athro fel cannwyll, yn goleuo eraill ar ei draul ei hunan.

Dihareb o'r Eidal

942. Bara

Mater materol yw bara i mi fy hun; y mae bara i eraill yn fater ysbrydol.

Nikolai Berdyaev

943. Yr amhosibl

Y mae Duw yn codi lefel yr amhosibl.

Corrie ten Boom

944. Cyflawni gwaith

Y mae unrhyw waith sy'n werth rhywbeth wedi ei gyflawni mewn ffydd.

Albert Schweitzer

945. Doethineb

Diffrwyth yw doethineb yr hwn nad yw'n ei adnabod ei hun.

Erasmus

946. Dioddefaint

Y mae dioddefaint anhaeddiannol yn waredigol.

Martin Luther King

947. Bywyd mewn cariad

Nid oes bywyd mewn cariad heb ddioddefaint.

Thomas á Kempis

948. Cariad at Dduw

Rho i mi'r fath gariad at Dduw a dynion a fydd yn dileu pob casineb a chwerwder.

Dietrich Bonhoeffer

949. Mynd yn groes i'r byd

Os yw'r byd yn mynd yn groes i'r gwirionedd, yna mae Athanasiws yn mynd yn groes i'r byd.

Athanasiws

950. Llawenhau yn y Gwirionedd

Dewch i ni lawenhau yn y Gwirionedd pa le bynnag y bydd ei lamp yn llosgi.

Albert Schweitzer

951. Deall bywyd

Ni ddylid ofni dim mewn bywyd, dim ond ei ddeall.

Marie Curie

952. Poeni am yr hyn ydym

Na phoenwch am yr hyn sydd gennych, ond am yr hyn ydych.

Y Pab Gregor VII

953. Eiddo

Y mae holl eiddo meidrolion yn feidrol.

Dihareb Ladin

954. Dewch, ewch

Y mae crefydd Iesu'n dechrau gyda'r ferf 'dewch' and yn gorffen gyda'r gair 'ewch'.

Anhysbys

955. Gwrthod maddau

Mae'r hwn sy'n gwrthod maddau i eraill yn torri'r bont y bydd yn rhaid iddo ef ei hun ei chroesi.

George Herbert

956. Cadw'r heddwch

Ni ellir cadw'r heddwch trwy orfodaeth, dim ond trwy ddealltwriaeth.

Albert Einstein

957. Goroeswyr, nid concwerwyr

Mewn rhyfel modern nid oes concwerwyr, dim ond goroeswyr.

Lyndon B. Johnson

958. Achub gwareiddiad

Oni chaiff ein gwareiddiad ei achub yn ysbrydol ni all barhau'n faterol.

Woodrow Wilson

959. Ffydd syml

Dylai ffydd, fel goleuni, fod yn syml ac yn ddiwyro; tra bod cariad, fel gwres yn ymdaenu i bob cyfeiriad, gan blygu i holl anghenion ein brodyr.

Martin Luther

960. Ffydd, gobaith a chariad

Nid oes cariad heb obaith, dim gobaith heb gariad, a dim gobaith na chariad heb ffydd.

Awstin Sant

961. Brawdoliaeth Crist

Gall gwyddoniaeth greu cymdogaeth o'r cenhedloedd, ond dim ond
Crist all wneud y cenhedloedd yn Frawdoliaeth.

Anhysbys

962. Maddau

Y mae'r person sy'n maddau yn dwyn y ffrae i ben.

Dihareb o'r Affrig

963. Y brycheuyn a'r trawst

Os ydym yn gweld y brycheuyn yn llygad brawd, rhaid yn gyntaf weld
a oes trawst yn ein llygad ein hunain; hwyrach mai adlewyrchiad yw
brycheuyn ein brawd o'r trawst sydd yn ein llygad ni.

David Watson

964. Cymdeithas gynaladwy

Y mae'r ddaear wedi cyrraedd pendraw ei chynaladwyaeth. Ein
gorchwyl yw nid creu datblygiad cynaliadwy, ond cymdeithas
gynaliadwy – dynoliaeth a natur ynghyd.

Leonardo Boff

965. Bywyd Iesu

Cymerwn yn ganiataol nad oedd gan Iesu unrhyw ddiddordeb mewn
gwleidyddiaeth; yr oedd ei genhadaeth yn gyfan gwbl grefyddol. Yn
wir, buom yn dystion i 'iconeiddio' bywyd Iesu ... nid yw bywyd Iesu
mwyach yn fywyd dynol, wedi ymdrochi mewn hanes, ond yn fywyd
diwinyddol – eicon.

Gustavo Gutierrez

966. Cymydog

Cymydog yw'r un y byddaf yn fy ngosod fy hun yn ei lwybr, ac nid un
y byddaf yn digwydd taro arno ar fy llwybr i. Y mae'n un y byddaf yn
mynd ato ac yn ei geisio.

Gustavo Gutierrez

967. Duw rhyddhad

Y mae Duw'r Ecsodus yn fwy o Dduw hanes a rhyddhad gwleidyddol
nac o Dduw natur.

Gustavo Gutierrez

968. Peidio cuddio
Fel plentyn i Dduw, fe safaf a pheidio cuddio.

Allan Boesak

969. Mae Iesu'n fyw!
Cyhyd â bod Iesu Grist yn fyw y mae gobaith am ein cenedl. Ac y mae Iesu'n fyw!

Allan Boesak

970. Dim gelynion
Nid oes neb i'w alw yn elyn i chi; y mae pawb yn gymwynaswr, a does neb yn eich niweidio. Nid oes gennych elyn, ond chi eich hunain.

Ffransis o Asisi

971. Caru cyfiawnder
Yr wyf wedi caru cyfiawnder a chasáu camwedd; felly rwy'n marw'n alltud.

Y Pab Gregor VII

972. Adeiladu gorsedd
Gall dyn adeiladu iddo'i hun orsedd o fidogau, ond ni all eistedd arni.

W. R. Inge

973. Gelynion rhyddid
'Dyw gelynion rhyddid ddim yn dadlau, dim ond gweiddi a saethu.

W. R. Inge

974. Y peth iawn yw heddwch
Nid cynnyrch braw ac ofn yw heddwch. Nid tawelwch mynwentydd yw heddwch. Nid canlyniad tawel gormes treisiwr yw heddwch. Heddwch yw cyfraniad hael a thawel pawb er lles pawb. Dynamiaeth yw heddwch. Haelioni yw heddwch. Y peth iawn, a dyletswydd ydyw.

Óscar Romero

975. Mesur person
Os ydym yn werth rhywbeth, mae hynny nid am fod gennym fwy o arian neu ddoniau neu rinweddau arbennig. Ond oherwydd ein bod wedi ein himpio wrth fywyd Crist, ei groes a'i atgyfodiad. Dyna yw mesur person.

Óscar Romero

976. Eglwys y Tlawd
Nid oes gennym fyth gywilydd o ddweud 'Eglwys y Tlawd'.

Óscar Romero

977. Bywyd yn aberth
Os bydd Duw yn derbyn fy mywyd yn aberth, boed imi farw er mwyn rhyddid fy mhobl ... Bydd esgob yn marw, ond ni fydd Eglwys Dduw, sef y bobl, fyth yn marw.

Óscar Romero

978. Tystiolaeth chwyldroadol y Gwynfydau
Hyd yn oed pan fyddant yn ein galw'n wallgof, yn wyrdroadwyr ac yn gomiwnyddion, ac yn defnyddio pob math o ansoddeiriau amdanom, gwyddom ein bod yn pregethu tystiolaeth chwyldroadol y Gwynfydau, sydd wedi troi popeth wyneb i waered.

Óscar Romero

979. Dysgu fy hun i garu
Arglwydd, cynorthwya fi i'm hanghofio fy hun er mwyn eraill, fy mrodyr, fel wrth roi y'm dysgaf fy hun i garu.

Michel Quoist

980. Y gwirionedd
Ni all dim ddinistrio gwirionedd.

Leslie Weatherhead

981. Difaterwch
Difaterwch yw derbyn yr annerbyniol.

John Stott

982. Balchder
Un o beryglon pennaf gwaith arweinydd yw balchder.

John Stott

983. Eingion
Y mae eingion yn goroesi'r morthwyl.

Anhysbys

984. Cydwybod
Cydwybod yw perffaith ddehonglwr bywyd.

Karl Barth

985. Rhyddid
Wedi ichi ladrata popeth sydd ganddo oddi wrth ddyn, nid yw mwyach dan eich awdurdod. Y mae'n rhydd unwaith eto.

Alexander Solzhenitsyn

986. Rhan o fywyd
Bendith arnat, garchar, am fod yn rhan o'm bywyd.

Alexander Solzhenitsyn

987. Anghofiodd dynion Dduw
Pe bai rhywun yn gofyn i mi heddiw i grynhoi prif achos y chwyldro dinistriol a lyncodd rhyw 60 miliwn o'n pobl, ni allwn fod yn fwy cryno na thrwy ailadrodd, 'Anghofiodd dynion Dduw, dyna paham, y digwyddodd hyn'.

Alexander Solzhenitsyn

988. Colli'r sylwedd
Gwyliwch rhag colli'r sylwedd wrth afael yn y cysgod.

Aesop

989. Clywed yn y nefoedd
Caf glywed yn y nefoedd!

Ludwig van Beethoven

990. Gwyleidd-dra
Nid oes dim sy'n fwy o arwydd o falchder na chredu eich bod yn ddigon gwylaidd.

William Law

991. Chwerthin
Y mae pobl yn dangos eu cymeriad yn fwy na dim yn yr hyn sy'n peri iddynt chwerthin.

Johann Wolfgang Goethe

992. Argyhoeddiadau ac amheuon

Gwrandawaf ar argyhoeddiadau pawb. Ond, os gwelwch yn dda, cadwch eich amheuon i chi eich hunan.

Johann Wolfgang Goethe

993. Barod i newid

Arglwydd, pan fyddwn yn anghywir, gwna ni'n barod i newid. A phan fyddwn yn gywir, gwna ni'n bobl hawdd i fyw gyda hwy.

Peter Marshall

994. Ceryddu'n dda

Mae'n anodd ceryddu'n dda; hynny yw, ar yr amser priodol, yn yr ysbryd priodol, ac yn y ffordd briodol.

Sant Bernard

995. Amddiffyn y drwg

Nid yw meddwl yr hwn sy'n cyflawni drwg bob amser yn ddrwg; ond y mae meddwl yr hwn sy'n amddiffyn y drwg yn fythol lygredig.

Lancelot Andrewes

996. Ahab yn ein plith

Genir Ahab yn ein plith bob dydd. Ac nid yw'n peidio â bodoli yn y byd hwn.

Emrys Sant

997. Crefydd a bywyd

Y mae ein bywyd cymdeithasol yn dioddef yn enbyd heddiw am fod cynifer o bobl yn rhoi cyn lleied o egwyddor yn eu gwaith. Atolwg, sut all dynion sy'n proffesu dilyn yr Arglwydd Iesu ymfodloni ar wneud eu gwaith rywsut, rywfodd? Rwy'n ofni mai'r ateb yw am eu bod yn rhannu eu bywyd yn grefydd a bywyd, yn hytrach na meddwl yn nhermau crefydd mewn bywyd.

T. Glyn Thomas

998. Gwybodaeth

Fe all gwybodaeth heb ras fod fel tanwydd heb dân.

Morgan Llwyd

999. Gwirionedd
Gwell yw i ni gael ein carcharu am wirionedd na charcharu'r gwirionedd.

Rhys Prydderch

1000. Prydferthwch
Pa fodd y byddwn ni yn brydferth? Trwy garu'r hwn sydd yn brydferth erioed. Fel y bydd cariad yn cynyddu ynot y bydd dy brydferthwch yn cynyddu, oherwydd cariad ei hunan yw prydferthwch yr enaid.

Awstin Sant

1001. Bod yn oddefgar
I ddod yn fwy goddefgar, nid oes angen gwneud dim ond heneiddio. Ni welaf yr un bai na allaswn i fy hunan ei gyflawni.

Goethe

1002. Yma y safaf
Yma y safaf. Ni allaf yn wahanol. Duw a'm cynorthwyo.

Martin Luther

1003. Clefyd cydwybod
Y mae clefyd cydwybod euog y tu hwnt i allu meddygol gorau'r byd.

William Ewart Gladstone

1004. Cymeriad
Cymeriad yw'r hyn ydych yn y tywyllwch.

Dwight L. Moody

1005. Twyllo
Ni ellir twyllo eraill yn hir iawn heb i ni hefyd ein twyllo ein hunain

John Henry Newman

1006. Grym tawel
Grym tawel y bywyd cyson.

Florence Nightingale

1007. Dyfalbarhad
Trwy ddyfalbarhau y cyrhaeddodd y falwoden yr arch.

Charles H. Spurgeon

1008. Y profiad cyntaf o Dduw

Ein profiad cyntaf o Dduw oedd caniatáu i ni ein hunain deimlo effaith y dioddefaint a'r gorthrwm a ddioddefai ein pobl. O'r foment honno ymlaen, dechreuwyd darganfod Duw yn bresennol ym mhryd a gwedd ddioddefus a gorthrymedig ein brodyr a'n chwiorydd tlotaf.

Luz Beatriz Arellano

1009. Os oes...

Os oes cyfiawnder yn y galon, bydd harddwch yn y cymeriad;
Os oes harddwch yn y cymeriad, bydd cynghanedd yn y cartre';
Os oes cynghanedd yn y cartre', bydd trefn yn y wlad;
Os oes trefn yn y wlad, bydd heddwch yn y byd.

Dihareb o Tsieina

Cydnabyddiaethau

Casglwyd a golygwyd y detholiad yma o ddyfyniadau gan y Parch Olaf Davies, sy'n weinidog gyda'r Bedyddwyr ym Mangor a'r cyffuniau. Ffrwyth oes yn y weinidogaeth yw llawer ohonynt, wrth iddynt gael eu casglu a'u defnyddio mewn pregethau ac anerchiadau dros gyfnod o ddeugain mlynedd. Mae llawer ohonynt yn anhysbys, ac eraill nad yw y ffynhonell yn wybyddus, ond gwnaed pob ymdrech posib i sicrhau enw'r awdur a'r ffynhonell.

Bu modd troi at sawl casgliad arall o ddyfyniadau hefyd, ac rydym yn ddiolchgar am ganiatâd Tŷ Joh Penri i gael defnyddio deunydd o'i llyfrau hwy, ac yn arbennig Yr Etifeddiaeth Dda o waith D Arthur Thomas.

Daw y dyfyniadau Beiblaidd o'r Beibl Cymraeg Newydd Diwygiedig 2004, gyda diolch i Gymdeithas y Beibl.

Llyfrau eraill a fu yn ysbrydoliaeth yw:
The New Encyclopedia of Christian Quotations gan Lion Publishing, Rhydychen
The Complete Book of Zingers gan Tyndale House Publishing
Blessed Are the Peacemakers: 99 Sayings on Peace gan New City Press
Bartlett's Book of Anecdotes gan Little Brown Publishing
Wise Words and Quotes: An Intriguing Collection of Popular Quotes by Famous People and Wise Sayings from Scripture gan Tyndale House Publishing
A Treasury of Christian Wisdom: Two Thousand Years of Christian Life and Quotations gan Hodder Christian Books
The Authentic Book of Christian Quotations: Over 1000 Quotations and Illustrations from Augustine to Zinzendorf gan Authentic Publishing
More Gathered Gold: Treasury of Quotations for Christians gan Zondeervan Publishing
1001 Unforgettable Quotes About God Faith and the Bible